Chère Anne

Avec mes amitiés

Les Éditions du Boréal
4447, rue Saint-Denis
Montréal (Québec) H2J 2L2
www.editionsboreal.qc.ca

QUE VEULENT VRAIMENT LES QUÉBÉCOIS ?

DU MÊME AUTEUR

Le Coffre à outils du chercheur débutant : guide d'initiation au travail intellectuel, nouvelle édition revue, augmentée et mise à jour, Montréal, Boréal, 2006.

A History for the Future : Rewriting Memory and Identity in Quebec, Montréal/Kingston, McGill-Queen's University Press, 2004.

Le Québec, les Québécois : un parcours historique, Montréal/Fides, Québec/Musée de la civilisation, 2004.

Passer à l'avenir : histoire, mémoire, identité dans le Québec d'aujourd'hui, Montréal, Boréal, 2000.

Les Années sans guide : le Canada à l'ère de l'économie migrante, Montréal, Boréal, 1996.

DIRECTION D'OUVRAGES COLLECTIFS

« Le Québec, une autre Amérique : dynamismes d'une identité », édition spéciale de *Cités*, 23 (2005), avec Sabine Choquet.

Aspects de la nouvelle francophonie canadienne, avec Simon Langlois, Québec, Presses de l'Université Laval, 2004.

« Politique de la mémoire », édition spéciale de *Politique et sociétés*, 22, 2 (2003), avec Bogumil Jewsiewicki.

Identités en mutation, socialités en germination, avec Bogumil Jewsiewicki, Sillery, Septentrion, 1998.

Les Jeunes à l'ère de la mondialisation : quête identitaire et conscience historique, avec Bogumil Jewsiewicki, Sillery, Septentrion, 1998.

Le Lieu identitaire de la jeunesse d'aujourd'hui, Paris, L'Harmattan, 1997.

Les Espaces de l'identité, avec Laurier Turgeon et Khadiyatoulah Fall, Québec, Presses de l'Université Laval, 1997.

L'histoire en partage : usages et mises en discours du passé, avec Bogumil Jewsiewicki, Paris, L'Harmattan, 1996.

La Condition québécoise : enjeux et horizons d'une société en devenir, avec Jean-Marie Fecteau et Gilles Breton, Montréal, VLB, 1994.

La Question identitaire au Canada francophone : récits, parcours, enjeux, hors-lieux, avec Roger Bernard, Québec, Presses de l'Université Laval, 1994.

Jocelyn Létourneau

QUE VEULENT VRAIMENT LES QUÉBÉCOIS ?

Regard sur l'intention nationale au Québec (français) d'hier à aujourd'hui

Boréal

Les Éditions du Boréal reconnaissent l'aide financière du gouvernement du Canada par l'entremise du Programme d'aide au développement de l'industrie de l'édition (PADIÉ) pour ses activités d'édition et remercient le Conseil des Arts du Canada pour son soutien financier.

Les Éditions du Boréal sont inscrites au Programme d'aide aux entreprises du livre et de l'édition spécialisée de la SODEC et bénéficient du Programme de crédit d'impôt pour l'édition de livres du gouvernement du Québec.

Illustration de la couverture : Bruce Roberts
Conception graphique de la couverture : Christine Lajeunesse

Dépôt légal : 4e trimestre 2006
Bibliothèque et Archives nationales du Québec

Diffusion au Canada : Dimedia
Diffusion et distribution en Europe : Volumen

Catalogage avant publication de Bibliothèque et Archives Canada

Létourneau, Jocelyn, 1956-

Que veulent vraiment les Québécois ? : regard sur l'intention nationale au Québec français d'hier à aujourd'hui

ISBN-13 : 978-2-7646-0484-7
ISBN-10 : 2-7646-0484-X

1. Nationalisme – Québec (Province). 2. Identité collective – Québec (Province). 3. Québec (Province) – Histoire – Autonomie et mouvements indépendantistes. 4. Québec (Province) – Politique et gouvernement. I. Titre.

FC2920.N38L47 2006 320.5409714 C2006-941757-1

Avant-propos

J'ai toujours été fasciné par ces hommes et ces femmes qui, devant un problème complexe, n'ont de cesse de lancer des idées pour avancer vers sa résolution. Réunis autour d'une table, en position de dialogue, ils interviennent tour à tour, qui pour proposer une hypothèse, qui pour tracer au tableau les lignes primaires d'un protomodèle, qui pour ouvrir une piste dans la forêt vierge des réponses possibles grâce à l'apport d'un concept, d'une formule, d'un mot de passe. La plupart du temps, les efforts de ces chercheurs pour percer le mystère de leur sujet demeurent vains ou futiles. Nulle surprise ici : le monde ne livre pas facilement ses secrets. Ce qui, par contre, ne prend jamais fin chez ces insatiables pèlerins du savoir, c'est leur quête pour pratiquer des brèches dans l'épaisseur de l'hermétique, du furtif, de l'énigmatique, de l'obscur et de l'étrange. Forts de leurs connaissances du terrain mais n'ignorant pas le rôle capital de l'esprit inventif pour trouver le col par lequel se glisser afin de progresser au travers de l'imposante cordillière d'inconnu qui se dresse devant eux, ces savants s'apparentent à de véritables prospecteurs qui prennent des risques pour éventuellement découvrir des veines prometteuses dans le roc des montagnes qu'ils investiguent.

C'est cet esprit aventurier qui nous a guidé dans l'entreprise d'écrire ce petit livre. Le lecteur ne doit pas s'abuser devant l'ouvrage que nous soumettons à son attention critique. Dans les pages qui suivent, il ne trouvera pas une étude approfondie, documentée par des masses de faits et une multitude de données, des idées politiques qui ont marqué le Québec ou de la condition politique des Québécois à travers les siècles. D'autres avant nous ont fait ce travail, et bien fait. Il y découvrira plutôt une problématique générale portant sur l'une des dimensions centrales de cette condition politique, soit l'intention nationale qui traverse l'histoire du Québec — et celle du Québec français notamment — depuis fort longtemps.

On sait à quoi tient une problématique. Il s'agit d'un ensemble de propositions cohérentes les unes par rapport aux autres et dont la finalité est d'offrir, devant une question ardue, un itinéraire possible de compréhension au voyageur intellectuel qui est ouvert à l'aventure de la connaissance. Or, si le parcours interprétatif que nous suggérons à notre excursionniste pour saisir l'intention nationale des Québécois dans le temps se veut praticable et convenable, il est loin d'atteindre à l'équilibre et au raffinement d'une voie majestueuse. Il faut plutôt l'envisager comme une piste plus ou moins balisée, raboteuse à bien des endroits et nécessitant encore beaucoup de travail d'aménagement et de consolidation. Néanmoins, nous croyons que le circuit tracé vaut la peine d'être emprunté, car il offre des points de vue inusités sur des lieux connus.

Un dernier détail avant d'amorcer notre périple : le lecteur ne sera pas surpris de constater, à mesure qu'il avancera dans la matière du livre, que notre propos s'inscrit dans une voie argumentative que nous avons commencé à construire dans nos derniers ouvrages. Celle-ci a pour point de départ une vision générale de l'expérience historique québécoise que nous espérons différente de celle qui s'impose habituellement. La ligne d'horizon de cette voie argumentative n'est pas en effet la question qu'un Jacques Ferron, par exemple, se posait à lui-même en ces mots : « Aurais-je vécu inutilement dans l'obsession d'un pays perdu ? », mais celle que nous formulons résolument en ces termes, dans la perspective d'une espérance au présent : Saurais-je vivre pleinement dans l'assomption d'un pays déjà trouvé, au diapason de concitoyens libres et entreprenants devant l'avenir à construire ?

Ouverture

On dit des Québécois qu'ils forment une nation et que leur intention politique est franchement nationale, c'est-à-dire qu'ils veulent instituer leur vivre ensemble et confirmer leur être collectif par et dans la souveraineté complète de leur État. Pour plusieurs, cette vision des choses est incontestable, peut-être imprescriptible. Il s'agit d'une sorte d'axiomatique, voire de théologie argumentative. La réalité est plus complexe. D'une part, le concept de nation pose autant de problèmes qu'il n'en résout pour parvenir à une représentation subtile et pénétrante de la condition identitaire et politique des Québécois. D'autre part, l'intention politique de cette collectivité, si elle est effectivement inspirée et traversée par une rhétorique et une ambition nationales, ne s'épuise pas dans ce discours et cette démarche. Depuis toujours, et encore aujourd'hui, l'intention politique des Québécois, y compris celle de son groupement dominant[1], les Québécois d'héritage canadien-français, est en effet plurivoque et polysémique, multidirectionnelle et polyphonique. Elle est irréductible à une vision univalente de la destinée collective. Elle ne correspond pas davantage à un seul projet d'être au monde. Elle est ouverte à plusieurs options d'avenir qui ne sont pas toujours apparentées, ce qui ajoute à la difficulté de définir en quoi au juste consiste cette intention politique.

Plutôt que de refuser la complexité d'être et d'expression de l'intention politique nationale au Québec, nous entendons l'affronter sans ambages dans les pages qui suivent. Notre objectif est de la présenter historiquement en insistant sur le fait qu'elle n'a jamais suscité l'unanimité des points de vue ou des stratégies chez ceux qui l'ont portée ; que ses tenants et aboutissants furent de tout temps multiples et variables ; et qu'elle a surtout exprimé, au sein du corps collectif québécois, la recherche d'un positionnement politique original entre quatre vecteurs d'êtres — le désir de refondation, le souci de continuation, l'envie de collaboration et la volonté d'autonomisation — qui n'ont jamais cessé de se rapporter, même de nos jours, à la problématique identitaire particulière des francophones de la province.

Avant d'entreprendre notre parcours argumentatif, il paraît sensé de préciser nos vues sur le Sujet collectif qui sera au centre de nos préoccupations dans cet ouvrage. La question n'est pas simple car, si notre regard porte de manière générale sur le Québec et les Québécois, il est évident que ce sont les hommes et les femmes dont l'identité est charpentée par la référence canadienne-française qui, dans l'histoire de la collectivité québécoise, ont exprimé une intention nationale et se sont (re)présentés en tant que nation. C'est donc ce groupement historique et ses membres objectifs ou subjectifs qui, pendant les premières étapes de notre expédition au cœur du temps des Québécois, feront l'objet de notre attention principale.

Il en sera autrement lorsque nous nous pencherons sur le Québec des trente dernières années. L'arrivée au pouvoir du Parti québécois en 1976 a en effet favorisé l'intégration rapide de l'espace idéologique et politique québécois sur la base des aspirations collectives et des problématiques identitaires jusque-là spécifiques aux francophones. En peu de temps, c'est toute la société québécoise qui a été interpellée et mobilisée par une intention nationale générale, intention d'ailleurs redéfinie à l'aune de l'idée de nation québécoise plutôt qu'à celle de nation canadienne-française. Évidemment, cela ne veut pas dire que le projet souverainiste est devenu l'affaire de tous les Québécois. En pratique, ce projet intéresse et demeure surtout porté par les francophones. Mais il n'est assurément plus présenté comme étant la cause du seul Québec français, ce qui fait que, *nolens volens,* tous les Québécois doivent se situer ou se définir d'une manière ou d'une autre par rapport à ce projet. Voilà pourquoi, dans les derniers chapitres de notre ouvrage, nous parlons des Québécois sans nous référer aux seuls Franco-Québécois.

Cela dit, il se révèle illusoire, pour aborder dans son actualité la question de l'intention nationale des Québécois, d'ignorer la présence massive des francophones dans le décor politique du Québec. D'une part, comme on l'a dit, ce sont eux qui défendent et soutiennent très majoritairement le projet national dans l'espace politique et public de la province. D'autre part, on peut penser que, sans leur présence, il n'y aurait pas d'intention nationale au Québec, celle-ci restant encore fortement inspirée et informée par un héritage mémoriel et historique particulier aux francophones. Pour ces raisons, il n'est pas possible, tout en parlant de manière générale des Québécois et de leur intention nationale, de faire abstraction du fait que le Sujet collectif ainsi nommé reste profondément marqué par l'agir politique et les aspirations du groupement francophone en son sein. Ceux qui n'entendent pas cette vérité imposée par la réalité vive du monde vécu manifestent de l'entêtement à substituer leur projet politique à leur objet d'investigation. Or, du point de vue analytique, pareille interversion constitue une opération contestable. La pesanteur de l'histoire, en effet, ne disparaît pas par l'enchantement des mots ; et les plis du social résistent discrètement au nivellement et à l'enthousiasme des grands concepts exaltants.

De la complication politique québécoise

Disons-le franchement : l'intention politique des Québécois désobéit aux modèles conventionnels d'affirmation nationale. Il faut la considérer comme étant spécifique à plusieurs égards. Or, cette situation ne traduit ni la réussite ni l'échec d'un projet d'être au monde.

Plusieurs auteurs ont fait ressortir comment se sont manifestés, chez ceux qui ont commencé à s'appeler « Canadiens » vers la fin du XVIIe siècle, une volonté d'exister collectivement et un désir de durer qui ne se sont pas démentis depuis[1]. Si cette affirmation est juste, il est essentiel d'y apporter un bémol. Pour la majorité des personnes mobilisées par le dessein de vivre ensemble dans la durée — intention que les analystes associent habituellement au projet national —, la volonté de faire nation n'a jamais eu le sens d'un engagement exclusif à l'égard du groupement ou de la collectivité. Elle n'a jamais pris la forme d'une résolution franche et univoque d'allégeance envers le Nous. Elle n'a jamais supposé non plus de rupture avec l'Autre ou avec de grands ensembles, que ce soit la France, l'Empire britannique, le Canada ou l'Amérique du Nord comme lieu(x) référentiel(s).

En fait, l'intention politique des Canadiens, des Canadiens français par la suite et des Québécois maintenant, a toujours été, par la pratique de la revendication prudente plutôt que radicale, de procurer au groupement ou à la collectivité une voie de passage vers l'avenir qui se situe quelque part entre la volonté de détachement et le désir de rattachement. Cette intention politique a toujours été d'établir, avec l'Autre envisagé comme partenaire et adversaire tout à la fois, un rapport de force qui soit optimal du point de vue de la marge de manœuvre à créer pour le groupement ou la collectivité dans sa quête d'avancement. Pour le dire sans fard, l'intention politique des Québécois a toujours pris la forme d'un patriotisme circonspect et celle d'un affirmationnisme réfléchi. C'est comme l'expression du désir pragmatique d'une communauté de langue et de mémoire — et désormais d'une collectivité globale — de profiter des occasions créées par l'histoire pour s'épanouir, tout en se ménageant, par l'action politique de ses membres, des brèches opportunes dans cette histoire, qu'il faut envisager l'existence d'une intention nationale chez les Québécois et chez les Canadiens (français) avant eux.

Si on voulait rendre compte des facettes paradoxales de l'intention politique des Québécois dans le temps, le schéma de la page suivante pourrait aider. Cette figure illustre bien le caractère tiraillé, voire écartelé et déchiré de l'expression nationale des Québécois. Celle-ci apparaît en effet comme la

Figure 1. Représentation sous la forme d'une quadrature du cercle des facettes paradoxales de l'intention politique des Québécois.

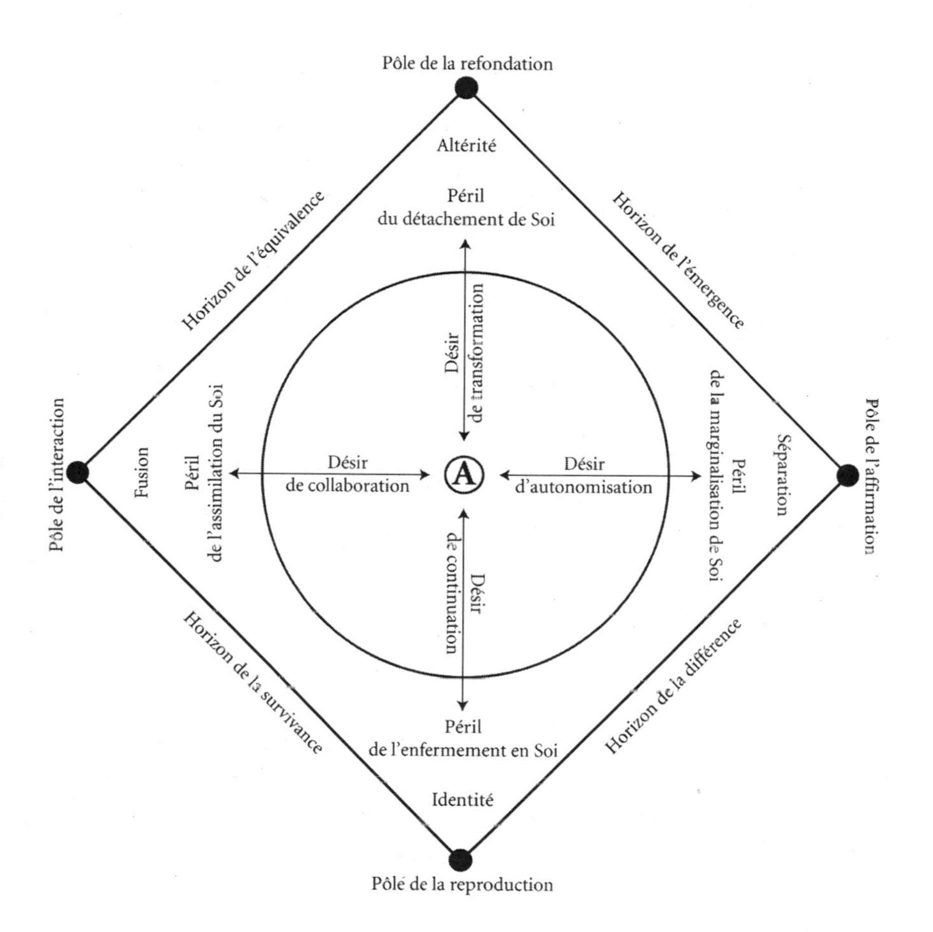

A : Lieu politique de (p)référence des Québécois.

volonté du groupement d'hier, et celle de la collectivité d'aujourd'hui, d'ériger un lieu d'êtres qui lui permette d'interagir avec l'Autre (désir de collaboration) sans s'y fondre (désir d'autonomisation) et qui l'autorise à se renouveler (désir de transformation) sans se renier (désir de continuation). On pourrait formuler la même idée en disant des Québécois qu'ils ont pour souci principal de n'être pas séparés d'un ensemble (péril de la marginalisation) ni d'être intégrés dans une totalité (péril de l'assimilation) et qu'ils craignent l'altérité radicale (péril du détachement de Soi) au même titre que l'identité radicale (péril de l'enfermement en Soi).

Cette façon de penser et de cerner l'intention politique des Québécois dans ses dynamismes paradoxaux permet de comprendre certains comportements politiques du groupement — de la collectivité — qui paraissent déroutants, voire inappropriés, aux yeux de plusieurs analystes. Ainsi, le Québécois veut être différent de l'Autre (souci de distinction) sans cesser de lui ressembler (souci d'équivalence ou de normalisation). Il veut être séparé de l'Autre (désir d'autonomisation) sans être rejeté par lui (désir d'inscription). Il veut décider de son destin (volonté de souveraineté) sans être abandonné à lui-même (volonté de partenariat) ; et il ne veut ni se fondre dans l'Autre (peur de disparaître) non plus que se retrouver seul avec Lui-même (crainte du repli sur Soi).

L'intention politique québécoise, qui se manifeste avec une ambivalence jusqu'ici indépassée, exprime précisément la somme des tensions, des tiraillements et des résistances mutuelles qui ne cessent de survenir entre les éléments formant le « cadran identitaire » des (Franco)-Québécois, lequel, une fois inséré dans l'espace multidimensionnel des horizons d'êtres du groupement dont il fait office de centre, donne lieu à l'apparition d'une véritable « quadrature du cercle » qui, dans le cas du Québec, n'est pas un faux problème, mais constitue au contraire la question précise à conceptualiser, et si possible à résoudre.

Ainsi, il est certainement vrai d'affirmer que le désir de refondation a, depuis le tout début, inspiré et orienté l'expérience collective des Canadiens devenus par la suite Québécois[2]. Mais cette volonté de transformation de Soi, radicale chez certains, a toujours été endossée par la majorité dans la mesure où elle n'entraînait ni rupture avec le passé (désir de continuation), ni risque de fusion ou d'annexion (crainte de l'assimilation), ni menace de tassement ou d'excentration (peur de la marginalisation). De même, si la volonté de vivre avec l'Autre ne s'est jamais démentie dans l'histoire du groupement ou de la collectivité, l'idée d'un tel rapprochement a toujours été circonscrite par les prérogatives de la reproduction du Soi. Aux yeux de la majorité, il n'a jamais été question, en effet, de s'incorporer à l'Autre (péril de la fusion) ou de lui céder les rênes du devenir collectif (se démettre de la possibilité théorique du recommencement). Il en va de même du désir d'affirmation : si la volonté de liberté et d'indépendance a toujours été, d'une manière ou d'une autre, présente au sein du groupement ou de la collectivité, ce ne fut jamais au risque que celui-ci ou que celle-là se dissocie dans la séparation (crainte de la minorisation), s'enlise dans la tradition (peur de la folklorisation du Soi) ou s'auto-enferme dans une focalisation exagérée sur Lui-même ou sur Elle-même (crainte de la réduction du Soi). Et si la préservation de l'identité est une constante de l'histoire des Québécois, notamment de celle des Québécois d'héritage canadien-français, il a toujours été clair pour le plus grand nombre que l'intégrité identitaire du groupement ou de la collectivité ne devait pas le mener ou la tirer vers un destin singulier ou « anormal », non plus que provoquer son affaiblissement ou sa réclusion (peur de l'exclusion du Soi).

Qu'on se le dise à défaut de l'assumer : le Québécois veut se délivrer de sa condition tout en restant fidèle à lui-même, il a le désir de s'ouvrir au monde sans se déraciner et il entend se rapprocher de l'Autre sans se perdre dans l'Ailleurs. De même, le Québécois ne veut être ni incorporé ni abandonné, il n'entend disparaître ni dans la fusion avec l'Autre ni dans la fusion avec Soi et, s'il compte durer dans le temps, il n'est pas prêt à se couper de l'avenir du monde ou à y devenir un élément insignifiant en se retirant sur ses terres.

Disconvenir que l'identité québécoise, dans sa dominante, se définit par rapport à ces dualités paradoxales et refuser d'admettre que la pratique politique des Québécois, depuis le moment où ils s'appelaient Canadiens, a intégré ces tendances dissonantes ou contradictoires, c'est se mettre dans la position de prendre la vessie de son utopie interprétative pour la lanterne de la condition québécoise.

À l'époque de la Nouvelle-France

Aux premiers temps de la colonie, le destin des habitants du Canada se déploie graduellement dans le cadre d'une espèce de « quadrilectique » où interagissent, dans une dynamique similaire et distincte tout à la fois de celle qui se dessine dans les autres colonies américaines, la volonté de recommencement, le souci d'enracinement, le désir de rapprochement et l'envie de détachement. C'est ainsi que la société émergente, canadienne d'adoption mais française d'inclination, attirée par le monde autochtone mais attachée à ses traditions européennes, trouve son équilibre, construit son identité plurivoque et développe un sentiment initial de différence, sorte d'idée embryonnaire du « Nous Autres les Canadiens » dont rend compte indirectement ce propos souvent cité de Bougainville : « Les Canadiens et les Français, quoique ayant la même origine, les mêmes intérêts, les mêmes principes de religion et de gouvernement, un danger pressant devant les yeux, ne peuvent s'accorder ; il semble que ce soit deux corps qui ne peuvent s'amalgamer ensemble. »

Refondation et continuation

À l'époque du régime français, la dialectique du recommencement et de l'enracinement s'incarne dans l'entreprise évangélique et missionnaire tout autant que dans le projet politique de fonder, sur un territoire appelé Kanada et considéré comme primitif par les « envahisseurs », une Nouvelle-France, soit une société qui, tout en étant l'extension extraterritoriale d'une civilisation et d'un foyer originels (la France), en devienne également une version améliorée ou idéale. L'appellation « Nouvelle-France » est d'ailleurs intéressante à analyser dans la perspective d'une tension entre le désir de refondation et le souci de continuation. Dans l'expression « Nouvelle-France », il y a en effet le dessein d'ouvrir, de régénérer, de ranimer et de quitter ce qui existe déjà — une patrie, une tradition, un ensemble de traits culturels — et celui, simultané, de conserver, de maintenir, de sauvegarder et de protéger une donne initiale, un acquis antérieur, un legs ancestral. C'est dans leur désir fondamental de trouver une synthèse acceptable et viable entre la volonté de recommencer et celle de continuer, sur le plan sociétal (structure de la société) tout autant qu'existentiel (organisation du quotidien), que les Canadiens amorcent leur parcours historique, dans le respect théorique de ce qui relève de la référence française et dans l'élaboration empirique de ce qui deviendra la référence canadienne — ici nommée *canadianité.*

Collaboration et distanciation

Au temps de la Nouvelle-France, cette construction de la canadianité s'effectue également dans le cadre d'une dialectique parfois subtile et parfois violente entre le désir de rapprochement, qui prend la forme d'une série d'emprunts spontanés et avisés aux cultures autochtones, et le désir de détachement, qui consiste en l'institution formelle d'une identité européiste que l'on ne veut surtout pas voir avilie par un contact fusionnel avec les « sauvages ». Aux yeux des décideurs politiques et des ecclésiastiques français, qui ont tout de même une influence ou un ascendant moral sur la population sédentarisée, la volonté de rapprochement — rendue nécessaire par suite de l'inadaptation initiale des Blancs aux contraintes du territoire nord-américain — ne doit en effet occasionner ni acculturation ni hybridation, ce qui serait l'expression d'une assimilation douce des Européens à l'autochtonie, prélude à la disparition éventuelle du Soi dans l'Autre. On comprend dans ce contexte la critique souvent féroce des élites françaises à l'endroit des coureurs des bois et des unions mixtes, figures et pratiques associées par plusieurs à la possibilité d'une dérive néfaste du groupement vers la « sauvagerie[1] ». Quant à la volonté de séparation (vis-à-vis de l'autochtone ou de la France), elle ne doit pas être à ce point catégorique ou radicale que les risques découlant du retranchement se muent en potentialité de dépérissement, ce qui signifierait la disparition du Soi en Soi. C'est donc dans l'entrelacs du Soi *avec et contre* l'Autre, et dans celui du nouveau pays *avec et contre* la mère patrie, que s'élève la société canadienne à l'époque.

Sur le plan politique, cette façon particulière d'être au

monde amène les Canadiens, c'est-à-dire ceux qui lient leur avenir à celui du pays à construire, à ne pas vouloir se détacher complètement de la France (ce que l'absolutisme français aurait de toute façon rejeté) non plus qu'à s'identifier entièrement à la donne nord-américaine en refondant leur identité dans la soumission complète de leur patrimoine historique aux impératifs du Nouveau Monde.

Canadianité émergente

Ni désireux d'assimiler totalement leur devenir à celui de l'Amérique ni soucieux de rompre complètement avec leurs attaches françaises, mais se déployant allègrement dans le lacis des deux continentalités ; refusant tout à la fois la perspective de l'autochtonisation (cesser d'être Européen en Amérique) et celle de la reproduction à l'identique (rester Européen en Amérique), mais (re)composant leur stock de références dans l'entrecroisement des deux civilisations, les Canadiens, avec le temps, se créent graduellement une identité et optent pour des conduites politiques conséquentes. Or, celles-ci sont composites plutôt que monovalentes, contestataires plutôt que révolutionnaires, réformistes plutôt que radicales.

En fait, la Nouvelle-France n'est pas un lieu où l'univocité de l'agir et du dessein prend racine. La société qui s'élève — appelons-la canadienne — se situe au contraire comme dans une ligne de fuite par rapport à elle-même, ce qu'expriment bien les couples sédentarité/nomadisme, francité/américanité et tradition/envie d'altérité qui la définissent fondamentalement. À toutes fins utiles, la société canadienne qui surgit est une société ouverte et plurivalente qui compose avec les contingences qu'elle rencontre. Plutôt que de chercher à dominer unilatéralement son environnement, elle s'ajuste de manière opportuniste aux situations qui se présentent à elle. C'est ainsi que les alliances, cohabitations et accommodements de toutes natures sont au cœur de son historicité naissante. Est-ce un hasard d'ailleurs si le coureur des bois — voyageur impénitent, personnage versatile qui ne cesse d'aller et de venir entre plusieurs lieux d'attachement, passeur par excellence entre les identités et les cultures — constitue la figure emblématique de cette société qui s'édifie à partir de ses solidarités de base plutôt que dans la réalité d'une grandiose utopie de fondation et de développement ?

De ces dires, il faut tirer un constat général : dès le départ, la canadianité qui s'élabore est l'expression et la recherche de liens multiples, de combinaisons paradoxales et de choix ambivalents pour le groupement qui veut se former sans se murer en Lui-même ou s'abandonner à l'Autre ou à l'Ailleurs, qui veut se construire sans rompre avec son passé ou se fermer à l'avenir, et qui veut avancer sans se départir de ses héritages ou s'interdire d'en acquérir de nouveaux. C'est sur ce socle qu'une collectivité, mue par le désir d'exister en exploitant les possibles que l'histoire lui procure tout en s'en créant elle-même par son esprit de fronde, s'élève tranquillement dans la durée en ajoutant plutôt qu'en retranchant des cartes à sa mise identitaire et politique.

De la Conquête aux rébellions

On aurait tort de croire que la victoire de Wolfe sur Montcalm, à Québec en septembre 1759, modifie complètement l'historicité du groupement canadien établi dans la vallée du Saint-Laurent. Certes, la puissance dominatrice est maintenant anglaise plutôt que française. C'est donc dans le cadre tracé par la Grande-Bretagne que la colonie, qui finit par se remettre des destructions considérables causées par la guerre de la conquête, évolue désormais. Mais cette situation ne témoigne pas d'un confinement des Canadiens dans l'espace nominatif qui leur est proposé ou laissé par l'administration britannique en Amérique — celui de simples sujets colonisés. Au contraire, il faut peu de temps avant que les Canadiens, qui se distinguent de ceux qu'ils appellent les « Anglais » ou les « Britanniques » en les étiquetant comme « Autres », entreprennent, grâce à un concours de circonstances favorable, de donner une nouvelle consistance politique à leur désir de canadianité.

Aux yeux des élites et des habitants qui, à ce chapitre, s'entendent sur la base d'un intérêt réciproque évident, celui de protéger leur culture originelle et de construire leur identité sur elle, cette canadianité s'enracinera à coup sûr dans un certain nombre de références héritées de la mère patrie : la religion catholique, la langue française et certaines coutumes, dont la Coutume de Paris qui sert d'assise aux lois civiles. Mais, pour bon nombre de coloniaux qui voient là un moyen de faire avancer leur cause et leur condition, cette canadianité sera également bonifiée par les avantages civiques et politiques inhérents à leur nouveau statut de sujets britanniques, à savoir, notamment, *l'habeas corpus,* la liberté de presse, le droit d'association et, dans la mesure du possible, la pratique du parlementarisme.

Désormais, l'identité des Canadiens sera donc fondée sur un amalgame de références originelles françaises et de droits britanniques acquis. Quant à leur action politique, elle sera définie par la volonté de consolider ces références et d'étendre ces droits. Une chose est sûre : ce n'est pas en tant que maîtres à respecter, mais en tant que sujets politiques à égaler, que les Canadiens considèrent les Britanniques à leur côté durant la période qui suit la cession de 1763. En pratique, et à mesure que les années passent, il faut envisager le rapport des Canadiens aux Britanniques comme étant marqué par un désir simultané de distinction et de parité entre les premiers et les seconds, désir exprimé sans nuance dans un prospectus annonçant la parution du journal *Le Canadien,* en novembre 1806 : « La liberté de l'Anglais est celle aussi du Canadien[1]. »

Ni en eux ni sans eux

À l'époque du régime anglais, on doit insister sur ce point, il n'est nullement question pour les Canadiens de s'incorporer aux conquérants et de devenir britanniques comme le souhaiteraient les représentants de Sa Majesté, que ceux-ci préconisent la manière douce ou la coercition. Pareille propension serait en effet le fer de lance de leur éventuelle assimilation, une possibilité qu'ils rejettent catégoriquement. Mais leur désir n'est pas davantage de se retrouver dans une situation de marginalisation ou d'abandon qui les menacerait de disparition ou d'excentration. En fait, le but des Canadiens est de négocier et de se ménager, par une pratique avisée de la collaboration et de la revendication, voire de l'accointance et de la résistance, un espace d'évolution politique qui leur permette de s'élever comme groupement ou nationalité spécifique dans le cadre d'un grand ensemble, l'Empire, qui leur impose des contraintes tout autant qu'il leur offre des avantages, du moins sur le plan théorique[2].

Dès les années 1780, la transformation de ces avantages théoriques en droits effectifs et en possibilités pratiques est d'ailleurs ce qui est au centre de l'action politique des Canadiens, laquelle est menée sous la direction d'une petite bourgeoisie montante qui cherche, au détriment de l'aristocratie laïque et cléricale bien sûr, qu'elle soit d'origine anglaise ou française, à se positionner dans l'exercice du pouvoir au sein de la colonie. On se souvient des luttes ardentes menées par les députés canadiens, à partir de 1792 surtout, à la Chambre d'assemblée du Bas-Canada pour accroître leur participation et celle de leurs partisans à la vie civique et politique de la colonie, que ce soit par l'occupation de charges administratives plus nombreuses, par la distribution du patronage ou par la gérance des subsides, des revenus et de la liste civile — une variante locale du slogan fort goûté à l'époque : *No taxation without representation.*

Or, devant ces actions et prétentions qui visent à accroître le principe démocratique dans la production et l'organisation de la société, la Couronne improvise et finasse. Gênée dans sa capacité à dicter ses volontés par des contextes intérieurs ou internationaux souvent délicats, elle répond aux demandes canadiennes par un cocktail de faveurs et de rigueurs subordonnées à un objectif principal et constant : assurer la permanence du système colonial en cédant souvent sur la forme du régime, mais jamais sur le fond — ce qu'Yvan Lamonde appelle la règle des « concessions par nécessité ».

De la britannicité sans britannisation

L'intention politique qui oriente le devenir canadien entre les années 1770 et 1830 est assurément complexe et subtile. Il vaut la peine d'en exposer les dynamismes.

Ainsi, la Conquête n'altère pas le désir de refondation présent chez les Canadiens. Poursuivant une démarche empirique amorcée à l'époque du régime français, ceux-ci entendent approfondir le projet de canadianité qui les anime. Ce n'est toutefois pas un projet de canadianité radicale qu'ils visent à mettre en œuvre. Chez eux, en effet, nulle volonté de se départir de l'héritage français qui les imprègne fortement (souci de continuation et de préservation). Nul désir non plus de s'exiler des cadres politique, civique et culturel imposés par la britannicité ambiante (crainte de l'excentration ou de l'isolement). Jusqu'au début des années 1830, si l'on fait exception de la parenthèse utopiste ouverte par les Mesplet, de Mézière, Jautard, La Corne, du Calvet et autres, l'idée de détachement ou d'indépendance est absolument marginale, voire inexistante, chez les Canadiens.

À cet égard, il faut dire que la situation dans laquelle ils sont placés n'est pas exactement favorable à une remise en cause complète des logiques coloniales — si tant est qu'ils l'eussent voulu. Déjà, à la fin du XVIIIe siècle, la Grande-Bretagne est une puissance économique et militaire redoutable, et sa supériorité est confirmée par ses victoires à Trafalgar (1805) et à Waterloo (1815). Par ailleurs, Londres maintient dans sa colonie des régiments qui impressionnent, ne serait-ce que sur le plan symbolique. Cela dit, dans la décision des Canadiens de ne pas opter pour la sécession ou le changement d'allégeance, ce que dénotent leur réserve ou leur embarras à l'égard de l'invasion américaine de 1775 et leur participation au refoulement de ces mêmes Américains en 1812[3], il n'y a pas simplement la crainte d'une réaction intempestive des Britanniques à leur égard. Il y a aussi le désir d'être comme l'Autre sans pour autant devenir semblable à Lui. Cette dialectique complexe entre le souci de parité et le souci de préservation s'incarne chez les Canadiens par leur volonté simultanée d'égalité et de nationalité (deux références émergentes chez eux) dans un cadre spécifique : le parlementarisme colonial, qu'ils considèrent aussi libérateur que contraignant dans la mesure où il leur accorde la possibilité démocratique tout en la leur refusant. De la britannicité sans britannisation : telle pourrait être la formule qui traduit le mieux le type d'altérité envisagée par la majorité des Canadiens à l'égard de ceux qui se présentent ou s'imposent à eux — pensons aux loyalistes qui arrivent dans le décor par milliers dans les années 1780 — en vue de faire aussi société.

Traduite en termes politiques, cette formule marque de manière décisive l'intention « nationale » de la majorité des Canadiens de l'époque : se donner les moyens de participer pleinement à la société qui s'édifie en préservant la spécificité qui est la leur, façon d'exprimer leur double souci de distinction comme groupement historique face à un tout (désir de nationalité) et d'intégration à ce tout comme sujet politique universel (désir de citoyenneté). Or, cette recherche simultanée de différence et d'équivalence, sorte de *double bind* politico-identitaire, n'est pas facile à obtenir, à instaurer ou à vivre, ni pour les Canadiens qui refusent d'assumer comme on le voudrait leur statut théorique de Conquis, ni pour les Britanniques qui n'arrivent pas à assurer comme ils le souhaiteraient leur statut théorique de Conquérants.

Au début du XIXe siècle, les rapports vécus entre Canadiens et Britanniques se construisent résolument, sur le plan social et politique, à l'enseigne de la proximité distante et de l'interdépendance contrainte, ce qui, entre les deux groupements fondateurs et générateurs de la collectivité moderne qui s'ébauche doucement, entraîne parfois des collaborations et parfois des oppositions, mais en tout cas des tensions et des exaspérations mutuelles.

Les rébellions

Les mouvements politiques violents qui secouent la colonie du Bas-Canada en 1837 et 1838 s'enracinent dans diverses circonstances fâcheuses vécues notamment par les Canadiens, mais pas seulement par eux. Au nombre des insatisfactions ressenties, il y a la frustration et l'impatience éprouvées par une grande partie de la population devant les refus répétés de l'administration coloniale, appuyée en cela par Londres, de modifier le style et la pratique de sa gouvernance au Bas-Canada. À n'en pas douter, la nature du système politique mis en place par les Britanniques dans la province canadienne en irrite plus d'un. Le souhait de voir les choses évoluer est répandu parmi les sujets de Sa Majesté.

Désir de changement

À ce chapitre, il faut dire que la situation n'est pas exactement nouvelle. Depuis un certain temps déjà, le Parti canadien, fondé en 1805 et renommé Parti patriote en 1826, s'était fait le canal d'expression privilégié d'une volonté de changement parmi les Canadiens, volonté palpable chez une frange importante de l'élite tout autant que chez les habitants. Hétéroclite dans sa députation et accueillant des partisans et adhérents aux velléités diverses, ce parti, modéré au départ et respectant la Constitution de 1791 avec l'objectif d'en exploiter les possibilités politiques, était devenu plus contestataire avec le temps, en évitant cependant de glisser vers le radicalisme. Cela dit, le Parti patriote était également fréquenté par des activistes résolus qui, sans être des révoltés patentés ou des rebelles voués à la violence à tout prix, n'allaient pas hésiter à prendre les armes pour soutenir leurs idéaux et résister à l'intransigeance de la Couronne. Parmi ces militants, il faut citer les frères Robert et Wolfred Nelson, réformistes, porteurs d'un fort ressentiment à l'endroit du gouvernement anglais, de même qu'Edmund Bailey O'Callaghan, Irlandais de naissance très monté contre les autorités britanniques. On doit également mentionner Thomas Chevalier de Lorimier, Armury Girod et Jean-Olivier Chénier, combattants déterminés jusqu'à la fin. À cette liste s'ajoutent le Dr Cyrille Côté, Étienne Rodier, Édouard-Élisée Malhiot, Thomas Brown et combien d'autres, qui anticléricaux, qui révolutionnaires, qui anticolonialistes, qui républicains à divers degrés, qui tout cela à la fois.

Malgré les tensions qui ne cessent d'embraser les rapports entre le Conseil, chambre nommée, et l'Assemblée, chambre élective, dans l'administration de la colonie, on aurait tort de croire que la majorité des membres ou sympathisants du Parti patriote, fort nombreux tout au long des années 1820 et 1830[1], souhaitent en finir définitivement avec la réalité du cadre impérial ou épousent la règle du jusqu'au-boutisme politique. En fait, leurs requêtes se situent bien en deçà d'une volonté de rupture avec la Grande-Bretagne. Leurs réclamations, qui prennent la forme très officielle de résolutions en 1834, visent essentiellement deux objectifs : réduire les pouvoirs excessifs accaparés par une clique de bureaucrates qui, contrôlant l'Exécutif du gouvernement, se comportent telle une oligarchie locale devant les députés, l'électorat et la population ; alléger les contraintes à la représentation politique, ferment de démocratie espérée et étendue, au sein de la colonie. Quant aux moyens utilisés pour parvenir à leurs fins, ils restent pacifiques, diplomatiques et en accord avec la Constitution[2].

À la suite du refus de lord Russell d'accéder aux demandes de l'Assemblée de réformer le système pour étendre le principe du parlementarisme et accroître la pratique de la représentativité politique dans la colonie[3], la grogne s'empare toutefois de larges segments de la population dont l'humeur, exacerbée par une presse acide, des harangueurs animés et l'action chauvine de groupes extrémistes, est à l'agitation. L'attisement social est d'autant plus facile que la mauvaise conjoncture qui gangrène les campagnes touche l'économie du Bas-Canada dans son ensemble. Soudainement, il est par toute la colonie des litiges locaux ou circonscrits qui, avivés par le contexte régnant d'antinomie et d'acrimonie politiques, prennent une vigueur plus intense et une tournure plus forte, à caractère ou à connotation souvent « national ». Inspirés par toutes sortes d'idéologies en vogue dans les Amériques comme en Europe : le libéralisme, la souveraineté des peuples, l'indépendance, l'égalité sociale, la démocratie populaire et le principe de nationalité, certains membres de l'élite envisagent par ailleurs, d'une manière plus ferme qu'auparavant, la possibilité de sortir de l'Empire, voire l'éventualité de restructurer la société autour d'un projet de refondation tous azimuts basé sur l'idée républicaine. Louis-Joseph Papineau, chef charismatique du Parti patriote, devient le symbole en même temps que l'épine dorsale de cette perspective qui séduit vivement à défaut de convaincre largement. Nous sommes au printemps 1837.

Qu'il se trouve, dans la colonie du Bas-Canada au milieu des années 1830, des acteurs qui entendent mener à terme un projet de canadianité radicale en vue de fondre, dans cette matrice politique inclusive de toutes les identités, leur envie de citoyenneté (souci d'égalité et d'universalité) et leur désir de nationalité (ambition d'altérité et de spécificité), cela ne fait aucun doute. À l'été de 1837, ils sont des milliers de patriotes à vouloir résoudre carrément et une fois pour toutes la question à laquelle font face les Canadiens à ce moment précis de leur histoire : celle du rapport entre la citoyenneté et la nationalité, en optant résolument pour la construction de ce que l'on appellerait aujourd'hui une nation civique souveraine, nation régie par des institutions non monarchiques et par une forme de gouvernement enraciné dans la volonté populaire.

Dans ce contexte, dire que le mouvement patriote a voulu inscrire *à sa manière* le destin du (Bas)-Canada dans une tendance d'époque des collectivités à se (re)fonder comme république indépendante n'est certainement pas faux[4]. La faiblesse de cette thèse tient toutefois à ce qu'elle pose comme unanime chez les Patriotes, et comme univalent dans ses velléités d'aboutissement et ses modalités de déploiement, un désir de changement qui n'est pas conçu de la même façon par tous ceux qui l'appuient, fermement ou modestement. Dans les faits, le mouvement patriote est plurivalent, voire divisé, sur le plan des aspirations qui l'aiguillonnent tout autant que sur celui des moyens à prendre pour provoquer la transformation désirée. Il en est de même du groupement canadien — et du corps politique bas-canadien dans son ensemble — qui n'existent pas comme des réalités homogènes.

Paysage politique contrasté

Au milieu des années 1830, le paysage politique de la colonie est en effet complexe et polysémique plutôt que simple et monovalent. Y évoluent des acteurs aux penchants différents qui ne se distinguent pas nécessairement les uns des autres par la langue ou la religion, bien que ces deux critères d'identification ne soient pas mineurs dans la ligne de partage des factions.

Parmi les forces en présence, on trouve ainsi des loyaux qui, rassemblés au sein du Parti bureaucrate, de la Quebec Constitutional Association ou de son pendant montréalais et se percevant comme des Britanniques installés outremer, ne veulent rien savoir d'une rupture avec la Grande-Bretagne non plus que d'un changement de direction politique. S'y rencontrent également des traditionalistes qui voudraient accéder, dans le cadre du régime colonial en place et sans que le principe du parlementarisme ne s'étende davantage, aux privilèges à relents aristocratiques détenus par les représentants britanniques. Au nombre des principaux acteurs politiques manœuvrant dans la province figurent aussi des réformateurs modérés qui souhaiteraient que le régime évolue de manière que la responsabilité ministérielle devienne le pilier du mode de gouvernance, mais sans que le Bas-Canada sorte de sous les jupes britanniques ou se fasse république indépendante. Enfin, on y trouve des libéraux qui, étrangers à toute idée de violence ou de révolution mais néanmoins désireux d'activer la transformation des choses, voudraient que la société se modernise dans le sens des valeurs et des principes bourgeois, au détriment de certaines pratiques persistantes héritées de l'Ancien Régime.

Entre ces courants antagoniques ou complémentaires dans leurs façons de penser le devenir de la société canadienne, le mouvement patriote radical est minoritaire. Il se fait bruyant, grinçant, voyant et accaparant, mais il ne rejoint pas la majorité des élites. Malgré les grands rassemblements qu'il convoque et organise, il n'arrive pas non plus à obtenir l'appui massif de la population, qui demeure divisée, timorée ou indifférente à la perspective d'un changement global de sa situation. En fait, ce que l'on pourrait appeler l'institution d'un projet de canadianité radicale, sorte de programme politique visant à sortir le groupement ou la « nation » de tout cadre existant et contraignant — colonial, impérial, clérical, seigneurial et féodal —, n'est pas à l'ordre du jour pour la plupart des Canadiens, qui semblent surtout attirés par l'éventualité d'une émancipation partielle, négociée et pacifique de leur condition. Ce projet n'est pas davantage acceptable pour les réformistes anglophones qui, par la voix d'un John Neilson, par exemple, appuient le mouvement patriote dans la mesure où il inscrit sa démarche dans les limites strictes du légalisme et la mène à l'aune du conservatisme politique.

En pratique, l'ambition de certains acteurs de refonder la société dans un projet de canadianité radicale entre en opposition, voire en conflit, avec la volonté d'autres acteurs, plus nombreux, de consolider le processus de construction et d'institution d'une *canadianité modérée* au Bas-Canada.

Porté ou assumé par la majorité des élites et des habitants de même que par l'Église catholique, ce projet de canadianité modérée est assurément frustrant à mettre en œuvre. Il n'a de cesse de subir les rebuffades du Conseil exécutif et le discrédit des loyaux, si ce n'est le désaveu de la Couronne. Il se déploie par ailleurs dans un cadre général, celui du régime colonial, qui gêne sa concrétisation en ralentissant sa progression et en contenant l'ampleur de sa prétention au changement constitutionnel. À cet égard, la situation est particulièrement déplaisante pour les Patriotes et les Canadiens entre le moment où la commission Gosford amorce ses travaux (août 1835) et celui où John Russell divulgue ses résolutions (mars 1837). Par la suite, lorsque le Conseil suspend la Constitution et entreprend de se passer de l'Assemblée pour gouverner la colonie, le climat devient carrément malsain. La publication de mandats d'arrêt contre Papineau et les principaux chefs patriotes en novembre 1837 achève d'épuiser la patience de plusieurs citoyens. C'est ainsi qu'à la veille des rébellions, la scène politique bas-canadienne prend de plus en plus l'allure d'une confrontation tranchée entre deux grands groupes antagoniques — les Patriotes d'un côté et les Bureaucrates ou Loyaux de l'autre. Il faut pourtant être nuancé dans l'appréciation du moment de la dissidence, car le théâtre politique de la colonie n'est pas si tranché qu'il y paraît à l'époque des soulèvements. Même au plus fort de la tourmente séditieuse, le projet de canadianité modérée est celui qui rallie la plus grande partie de la population, bon gré mal gré.

Modération et prudence

Le projet modéré est préféré à son pendant radical par la majorité des Canadiens parce qu'il est moins périlleux et parce qu'il permet de maintenir le groupement dans son espace identitaire et politique de prédilection, celui qui le place au carrefour de l'envie de changement, du souci d'héritage, du désir de participation et de la volonté de distanciation.

Dans la conjoncture des années 1830, le projet de canadianité modérée reflète le désir des Canadiens de profiter à la fois de la responsabilité ministérielle (pôle de l'autonomisation), d'une relation privilégiée avec l'Empire (pôle de la collaboration), du maintien de l'identité héritée (pôle de la continuation) et de l'occasion de se construire une nationalité culturelle toujours plus affirmée (pôle de la refondation). En fait, ils sont nombreux au Bas-Canada à pencher pour la canadianité modérée parce que cet horizon leur permet de naviguer entre quatre récifs majeurs sur lesquels ils craignent continuellement de s'échouer : celui de leur *marginalisation* causée par l'éventuelle « louisianisation » de leur condition s'ils se font Américains ; celui de leur *assimilation* entraînée par leur américanisation possible s'ils s'incorporent aux États-Unis ; celui de leur *effritement* provoqué par leurs divisions s'ils n'arrivent pas à s'entendre sur un projet politique global ; celui de leur *embrigadement* créé par leur « auto-conscription » s'ils s'alignent sur un seul projet entier, focalisé ou imposé[5].

Fait à souligner, ceux qui appuient le projet de canadianité modérée n'ont nul dessein de maintenir la « nation » dans un mode de survivance, d'impuissance ou d'assujettissement passif. Un Étienne Parent, par exemple, prend ouvertement le parti du changement[6]. Il plaide pour l'idée du gouvernement responsable. Il a également le désir que la société se redéfinisse en fonction des nouveaux canons du libéralisme, de l'égalité et de la citoyenneté. Mais le directeur du *Canadien* — journal influent dans la dissémination des idées et la formation des opinions au Bas-Canada — ne croit pas que l'avènement de la responsabilité ministérielle exige, de la part du mouvement patriote avec lequel il fraye jusqu'en décembre 1836, de s'engager sur la voie anticonstitutionnelle ou violente. Il n'ambitionne pas non plus que la redéfinition sociétale souhaitée prenne la forme d'une refondation complète, sorte de rupture radicale de la société avec ce qu'il estime être au cœur de l'historicité du groupement canadien, à savoir le conservatisme progressiste, la nationalité tranquille et l'identité enracinée — dans la religion catholique notamment[7].

Dubitatif à l'endroit de toute option ou destinée politique qu'il juge hasardeuse pour les siens, Parent n'est pas pour autant démissionnaire devant le pouvoir britannique. La « soumission honorable » qu'il évoque en avril 1837 n'a rien d'un appel à l'obéissance servile. Il s'agit plutôt d'un plaidoyer pour la résistance subtile, pour le redéploiement lucide et pour le pragmatisme astucieux. Or, ce point de vue ne reste pas sans écho au sein de la société. La parole de Parent est en effet aussi respectée et entendue que celle de l'illustre Papineau dont la direction politique fait défaut à l'automne 1837. Politiquement coincé par la fermeté des Britanniques à l'égard de sa démarche revendicative, mû par le dépit et devenu *persona non grata* en sa patrie, le leader patriote apparaît de plus en plus, à mesure que la guerre civile se fait inévitable, comme un rebelle décontenancé. Quant aux radicaux devenus insurgés, il faut voir à quel point ils sont, compte tenu de la stratégie extrême qu'ils préconisent, souvent appuyés uniquement en désespoir de cause[8] ou par crainte d'intimidation[9], puis carrément décriés ou rapidement reniés après l'échec des soulèvements plutôt que plébiscités ou soutenus sans condition par la population[10].

Pour donner à la nation québécoise une histoire compatible avec la représentation que l'on s'en fait *maintenant*, on peut bien considérer les rébellions matées et exagérément réprimées de 1837-1838 sous l'angle de la transition ratée — « cassée par l'Autre oppresseur et l'Ennemi intérieur » — d'une société vers sa libération. Il reste que l'intention de la majorité de la population n'est pas, durant les années 1830, de révolutionner son cadre de vie ou de s'investir dans une opération agitée et conquérante d'autonomie nationale. Cette intention est plutôt, par la voie réformiste poussée au paroxysme du rapport de force que permet la revendication constitutionnelle et légaliste, d'accéder à un statut de société stable et prospère au sein d'un

Empire florissant et rayonnant, accession rendant par ailleurs possible l'épanouissement d'une nationalité en demande d'existence, mais encore indécise sur son mode d'être et son devenir[11]. Cette intention est également, du moins chez les élites libérales, de favoriser le passage de la société canadienne vers une sorte de modernité bourgeoise qui, à l'époque, n'est évidemment pas conceptualisée de manière aussi claire tout en restant de l'ordre du processus historique contingent.

Au cours des années 1830, disons-le même si cette réalité contredit un mythistoire persistant dans la mémoire collective des Franco-Québécois, c'est principalement dans un esprit d'interdépendance plutôt que dans la conscience d'une recherche d'indépendance à tout prix que s'articule l'intention nationale des Canadiens, qui demeure souple, louvoyante et ouverte plutôt que ferme, décidée et univoque.

De l'Acte d'Union à la Confédération

La période qui suit les rébellions est difficile à vivre pour les Canadiens sur le plan politique. Ceux-ci, en effet, font face à la volonté apparente de la Couronne de les assimiler par voie d'incorporation à une entité, le Canada-Uni, qui les absorberait dans un tout homogène et univoque[1]. Or, cette virtualité, annoncée par Lord Durham dans son rapport fondé sur le pronostic d'un déclin rapide des francophones dans une Amérique du Nord anglo-saxonne et moderne, choque et déplaît. Sanctionnée par le Parlement britannique en 1840 et décrétée en 1841, l'Union des Canadas est immédiatement perçue et dénoncée par tous les Canadiens (français) comme une opération inacceptable par les risques qu'elle leur fait courir de disparaître comme groupement historique, un horizon qu'ils refusent catégoriquement. Si l'idée de sortir complètement de la britannicité coloniale n'avait pas fait consensus chez les Canadiens durant les années 1830, la perspective de s'opposer à toute tentative de britannisation par voie de fusion avec l'« Autre » provoque leur adhésion rapide et inconditionnelle dans la décennie suivante.

Concrètement, l'offensive canadienne s'organise sur plusieurs fronts à la fois. Au parlement du Canada-Uni, qui siège alors à Kingston, les députés du Canada-Est, francophones en majorité, ne sont pas longs à réaffirmer le droit de parler français en chambre[2]. De même, on assiste durant les années 1840 à la nomination de plusieurs Canadiens français à des postes clés de l'appareil gouvernemental, façon pour les francophones d'imposer leur voix — sinon leur voie — dans l'administration de la colonie, y compris au chapitre de la distribution du patronage[3]. Fait plus important peut-être, la Chambre d'assemblée du Canada-Uni, inspirée et menée par une alliance de réformistes du Canada-Est et du Canada-Ouest, entreprend dès 1842, alors que Robert Baldwin et Louis-Hippolyte LaFontaine codirigent le gouvernement, de se comporter comme si elle disposait de la responsabilité ministérielle, un principe qui ne sera formellement reconnu par Londres que six ans plus tard.

Toutes ces initiatives — et d'autres encore — témoignent d'une réalité de fond qui contredit un poncif interprétatif malheureusement tenace : la survivance n'est pas l'horizon au sein duquel les anciens Canadiens envisagent leur avenir à l'époque de l'Union. Devant la situation complexe qui est la leur, ils ne renoncent aucunement à faire preuve d'audace. Ils ne rejettent pas non plus le politique comme champ d'action. En fait, c'est sur deux fronts complémentaires qu'ils choisissent de se redéployer et d'investir leur énergie : le front « interne », en réaffirmant tous azimuts leur spécificité identitaire (désir de continuation et de distinction) ; et le front « externe », en ne se lassant pas de s'élever devant l'Autre et avec Lui (désir de refondation et d'égalité).

LaFontaine et l'Union

On a beaucoup glosé sur la décision de LaFontaine de collaborer au régime d'Union. Papineau[4] et les libéraux radicaux, par exemple, lui reprochèrent immédiatement sa génuflexion devant une structure de pouvoir oppressive et asservissante pour les Canadiens (français), structure qui, au dire de l'ancien chef patriote et de ses fidèles, sanctionnait rien moins qu'un troc désavantageux entre une nationalité désormais réduite à la nullité et un régime limité de liberté politique et constitutionnelle. Or, malgré leur langage dur, ces intervenants n'avaient pas tort. Il est clair que la participation de LaFontaine au gouvernement d'Union témoignait d'une reconnaissance de sa part d'un système politique non démocratique dans la mesure où ce système niait le principe de la représentation proportionnelle à la population[5]. Il est tout aussi évident que, en adhérant à l'Union, LaFontaine subordonnait le principe de nationalité à ce qu'il estimait être la clé de voûte d'un passage réussi des siens vers l'avenir dans une conjoncture malaisée, à savoir le réformisme de conciliation et de collaboration.

On aurait tort toutefois de condamner *ex cathedra* le choix de l'ancien patriote en ce qui touche au devenir des Canadiens. Force est d'admettre que son pari était plus complexe que ce à quoi ses opposants le réduisaient volontiers. Par le biais d'une stratégie du « beau risque »,

LaFontaine visait en effet à ramener ses compatriotes au cœur de leur espace politique de (p)référence, soit celui qui leur permettait d'être avec et contre l'Autre, avec et contre les grands ensembles et avec et contre Eux-mêmes. À ce titre, LaFontaine entendait continuer de construire, à coups de compromis et sur la base d'alliances délicates, ce que ses prédécesseurs avaient entrepris d'ériger tranquillement depuis la cession de 1763, soit une espèce de canadianité modérée, projet que les insurrections de 1837-1838 avaient singulièrement abîmé en laissant les Canadiens sans autre option d'avenir que l'union forcée. À toutes fins utiles, le pari de LaFontaine était de travailler de l'intérieur cette structure d'union, en l'aménageant de manière qu'elle permette aux Canadiens de poursuivre leur évolution comme nationalité interdépendante et non en tant que nation indépendante ou simple communauté dépendante. Sur cette base, le député de Terrebonne visait à éviter deux écueils redoutés par les siens : celui de l'inclusion dans l'Autre (péril de l'assimilation) et celui du repli sur Soi (péril de la marginalisation).

Homme de la voie médiane, LaFontaine ne voyait en effet d'avenir pour les Canadiens ni dans le « Nous rétréci à la famille[6] », perspective qu'il associait à la provincialisation ou à l'endo-enfermement du groupement, ni dans le mirage de l'annexion aux États-Unis, pays dont il craignait l'emprise et la tendance assimilationniste, ni dans la soumission passive du « Québec » au régime d'Union, structure qui à ses yeux pouvait éventuellement devenir un moyen de subordination des siens. En réformant l'union imposée par les Britanniques, LaFontaine voulait offrir aux Canadiens un cadre d'épanouissement de leur nationalité qui leur permette de consolider et de moderniser leur souci d'identité distincte en même temps que leur désir de citoyenneté égalitaire. Ce faisant, il entendait conjuguer sur un mode viable leur patriotisme à double sillon : national et constitutionnel. Pour LaFontaine, l'Union, qui lui semblait contenir et garantir le principe d'une représentation paritaire du Canada-Est et du Canada-Ouest à l'Assemblée législative du Canada-Uni, prenait le sens d'une confédération de deux provinces égales en droits et en influence politique, provinces qu'il envisageait à titre de pays réunis dans une structure de collaboration respectueuse des identités historiques particulières. En fait, on pourrait dire de LaFontaine qu'il concevait l'Union à la manière dont les Iroquois désignaient en leur langue et en leur temps l'emplacement de Montréal : « comme un lieu de courants qui se rencontrent et se séparent ».

Inutile de répéter que, à ce sujet, l'héritier politique de Parent s'est heurté à des pouvoirs hésitants ou réticents à féconder ses desseins, ce qui a compliqué sa démarche sans pour autant la paralyser. Il est sans doute plus important de rappeler que, durant toute la période qui va du début des années 1840 au milieu des années 1860, les réformistes remportent une majorité de sièges au Canada-Est et forment, avec leurs homologues du Canada-Ouest, les gouvernements d'alliance au Parlement du Canada-Uni. Au cours de ces deux décennies, les Viger, LaFontaine, Morin, Taché, Cartier et Antoine-Aimé Dorion, tous réformistes sous leurs oripeaux conservateurs ou libéraux, dament allègrement le pion à leurs opposants du moment : les Papineau, Dessaulles et Jean-Baptiste-Éric Dorion, plus radicaux sans être révolutionnaires.

On peut bien gémir que l'opposition au courant réformiste est rendue difficile dans l'ancien Bas-Canada à partir du milieu des années 1840 par suite des semonces, imprécations et condamnations de l'Église catholique contre les « Rouges ». On peut aussi applaudir le fait — hissé en succès moral — que les libéraux obtiennent de nombreux votes à Montréal-Est aux élections de 1851 et à celles de 1854, et que le feu de l'indépendance n'est pas complètement éteint dans le cœur de plusieurs Canadiens restés patriotes malgré tout. Rien n'empêche : la population, anéantie sans doute par la « pensée impuissante » de ses élites intellectuelles et par les « mythes dépresseurs » qu'elles n'ont de cesse de produire (!), vote à répétition pour la modération, la conciliation et la médiation dans les années 1850 et 1860. Cela lui permet de conjuguer, d'une manière évidemment paradoxale qui déplaît aux critiques actuels de la « pensée équivoque », son désir de collaboration et son souci de distanciation, mais aussi son appétit de continuation et son dessein de refondation tranquille sur la base d'une espèce d'harmonie ou d'accommodement recherché entre les pouvoirs concurrents ou complémentaires.

Le réformisme comme stratégie politique

Entre l'Acte d'Union et l'Acte de l'Amérique du Nord britannique, la dynamique politico-identitaire qui marque la société « québécoise » est complexe et subtile plutôt que simpliste et grossière. Il en est de même de l'intention nationale qu'elle inspire et favorise.

Cela ne fait aucun doute, l'idée d'indépendance présentée par Papineau et consorts sous l'apparence alléchante d'une glace à cinq parfums : démocratie, égalité, souveraineté du peuple, libéralisme et liberté nationale, continue d'attirer une partie de la population. Mais, outre qu'elle ne s'incarne pas dans un projet politique immédiatement applicable, cette idée d'indépendance, qui repose sur le rappel de l'Union et traduit un projet de refondation complète et radicale de la collectivité, reste mineure ou secondaire dans le paysage politique de la province. Il en est de même de l'idée d'une annexion aux États-Unis, de celle d'une rupture de liens avec la Grande-Bretagne ou de celle d'un rapprochement avec la France, à l'époque en pleine turbulence révolutionnaire. De toute évidence, les Canadiens, qui n'ont d'ailleurs pas le luxe de se montrer autrement que pragmatiques dans les circonstances, préfèrent ne pas placer tous leurs œufs dans le panier d'un choix uni(vo)que qui mettrait en jeu leur destin à quitte ou double. Contrairement à ce qu'il y paraît, leur attitude n'exprime pas une hésitation à prendre position politiquement. Il s'agit d'opter plutôt pour une orientation politique perspicace et stratégique — disons plurivalente et multilatérale — entre plusieurs éléments constitutifs de leur historicité.

Pour un grand nombre de Canadiens (français), la question de leur devenir à l'époque de l'Union se pose de la façon suivante : comment, dans un environnement objectivement défavorable, se donner les moyens d'être subjectivement avantagés ? La réponse la plus réaliste à leurs yeux est évidente et comporte trois volets. Elle consiste à gouverner sans régner formellement, à être avec l'Autre séparément, et à être chez eux dans une habitation commune possédée par un tiers extérieur. C'est dans ce contexte paradoxal où un groupement objectivement minorisé se fait en pratique majorité subjective que se déroule le jeu politique, fin et avisé plutôt que bête et pathétique, des députés canadiens à l'Assemblée législative du Canada-Uni au cours des années 1840 et 1850. Dans l'esprit de bien des politiciens de l'époque, un Joseph-Édouard Cauchon par exemple, « le temps est dorénavant à la construction de l'avenir plutôt qu'à la destruction des abus ».

Moderniser le Québec

Faire concrètement de l'Acte d'Union, théoriquement injuste à l'endroit des Canadiens (français), une confédération de deux provinces-pays égales et paritaires au sein d'une structure de réunion plutôt que de fusion, telle est au fond l'intention qui anime la majorité des leaders du Canada-Est entre 1841 et 1867. Mais cet objectif n'est pas le seul qui leur soit cher. Bien que conservateurs[7], les chefs réformistes qui viennent de l'ancien Bas-Canada et se succèdent dans la capitale nomade du Canada-Uni visent en effet à établir les bases d'un État moderne dans la province canadienne en général et dans sa section orientale en particulier.

Pourtant, leur travail n'est pas une sinécure. La nature des rapports de force politiques au Canada-Est (la future province de Québec), différente de celle qui marque le Canada-Ouest (la future province de l'Ontario), accroît singulièrement la difficulté qu'éprouvent les élus d'arrimer le couple identité/nationalité au couple modernité/libéralisme. Certes, on y parvient tout de même. La société « québécoise » qui est édifiée dans la deuxième moitié du XIXe siècle est résolument industrielle et amplement ouverte aux dynamismes atlantiques et continentaux — ce dont témoignent les flux d'immigration et d'émigration qu'elle connaît et subit, notamment vers les États-Unis. Même si l'Église catholique assume en son sein un rôle central de régulation, le Québec n'est pas sous l'emprise d'une théocratie, et l'on exagère en décrivant cette collectivité sous les traits d'une Église-Nation. Par ailleurs, la société québécoise est traversée par une multitude d'idéologies qui vont des plus traditionalistes aux plus contestataires de l'ordre établi. Parmi les grands courants d'idées qui marquent cette société, le libéralisme est celui qui s'incruste le plus durablement et qui est le plus largement appuyé. Cela dit, il est en pratique impossible d'orienter le devenir du Québec sans également le moduler, plus ou moins fortement selon les domaines et les dossiers, en fonction des attentes de l'Église catholique dont certains représentants, ultramontains parfois ultramontés — pensons ici à Mgr Bourget et à Mgr Laflèche —, visent aussi de leur côté, mais en vain, à refonder la société québécoise dans un projet radical de nation catholique[8]. C'est ainsi que la destinée du Québec progresse graduellement, durant les années 1840, dans l'espace existant entre une orientation générale, celle de son passage à la modernité bourgeoise (principe d'universalité), et une modulation particulière, celle de sa conformation comme société inspirée par la doctrine de l'Église catholique (principe de spécificité).

Pour décrire l'évolution du Québec à partir de la deuxième moitié du XIXe siècle, ce ne sont donc pas les

« révisionnistes » qui ont raison contre Rudin l'iconoclaste ou celui-ci contre ceux-là[9]. En vérité, la thèse des « révisionnistes » (le Québec comme société « normale ») est valable au même titre que celle du professeur de l'Université Concordia (le Québec comme société « particulière »). À partir des années 1840, le Québec se développe en effet comme une *société normale particulière*, ce qui renforce le caractère paradoxal et donc singulier de son parcours historique. Certes, son devenir épouse les principales évolutions qui empreignent le continent nord-américain : industrialisation, salarisation, urbanisation, consommation marchande, concentration du capital, élargissement du cadre de la régulation étatique, notamment sur le plan de l'implantation et de la gestion de l'ordre bourgeois. Mais ces évolutions sont ponctuées de variations locales qui font que le Québec se distingue des sociétés voisines par les caractéristiques de son système d'éducation, par la place du religieux dans la sphère publique et par l'importance de l'Église catholique comme alliée politique des pouvoirs laïcs. Désireuse de transformer la société « au nom de l'intérêt du Peuple », la bourgeoisie et la petite bourgeoisie québécoises n'ont d'autre choix, dans la deuxième moitié du XIXe siècle, que de le faire également au nom d'une obligation devant le Père. Marquée par un rapport à la tradition et à l'histoire défini par l'élite et endossé par la population[10], la modernité québécoise se construit dès lors en concordance avec un libéralisme modéré plutôt que radical et une nationalité conciliante plutôt que conquérante.

De la Confédération à la Révolution tranquille

Paradoxalement, c'est au cours des années 1840 et 1850, dans un contexte qui ne devait pas les favoriser, que les Canadiens réussissent à mettre en œuvre au mieux, dans le cadre du Canada-Uni, leur projet de canadianité modérée, soit l'idée de construire un pays bicéphale au confluent de leur volonté de collaboration, de leur souci de distanciation, de leur désir de continuation et de leur envie de refondation. L'évolution démographique comparée des Canadas, d'une part, et la difficulté pour un pays à deux têtes et deux corps d'exister et d'être gouverné efficacement, d'autre part, font toutefois que le projet de canadianité des Canadiens (français) devient impossible à maintenir ou à parachever dans le cadre de l'Union. Un projet politique différent, soutenu par des acteurs aux tendances variées et provenant de toutes les colonies britanniques d'Amérique du Nord, voit le jour vers le milieu des années 1860. Ce projet, celui de l'union confédérale des colonies du Canada-Est, du Canada-Ouest, du Nouveau-Brunswick et de la Nouvelle-Écosse, finit par remporter une adhésion majoritaire au prix cependant de compromis importants entre ses promoteurs, d'une certaine manipulation des opinions populaires et de la répression ou de l'édulcoration des tensions qui surgissent rapidement après 1867 dans les colonies désormais réunies sous la bannière canadienne.

Confédération « à la québécoise »

Pour les Canadiens français du Canada-Est, le projet confédéral tient du risque calculé en ce qui concerne leur avenir. Aux yeux de ses partisans, parmi lesquels on trouve, pour des motifs différents, l'Église catholique et pratiquement tous les grands bourgeois de Montréal, il offre la possibilité au groupement, par l'institution territoriale de sa spécificité et le contrôle direct d'un appareil d'État, de consolider sa nationalité et son identité au sein d'un foyer principal, la province de Québec, sans avoir à se détacher d'un ensemble et sans risquer non plus de disparaître dans la masse de cet ensemble. À ce titre, le projet confédéral permet aux Canadiens français d'esquiver deux écueils qu'ils redoutent : l'assimilation et la marginalisation. Cet évitement simultané des deux périls de l'incorporation et de l'excentration est d'autant plus vraisemblable que, dans la nouvelle structure politique élaborée par les penseurs du temps, Montréal, vecteur de modernité pour la société québécoise, est objectivement confirmée au rang de métropole économique et culturelle du pays émergent. Grâce à la position centrale de Montréal dans le Canada confédéré, la province de Québec peut donc être partie prenante d'un ensemble signifiant, même en être le cœur, tout en étant distincte de cet ensemble et irréductible à lui seul. De nouveau, il y a ici opérationnalisation du paradigme central de l'intention politique nationale des Canadiens français : être avec l'Autre tout en étant à côté de Lui, ce qui constitue une manière de vivre l'altérité, la collaboration et la coopération sur le mode de la proximité distante plutôt que sur celui de la coalescence.

Mais le projet confédéral comporte d'autres avantages pratiques aux yeux de ses adeptes canadiens-français. D'un côté, il soustrait en effet le Québec au projet souhaité par certains, mais jugé risqué ou ruineux par la majorité, d'une annexion aux États-Unis à peine sortis d'une guerre civile ravageuse et encore marqués par les relents du conflit. De l'autre, il permet à la province de maintenir, grâce au statut reconnu du Canada comme dominion, des liens privilégiés mais réservés avec la Grande-Bretagne, formidable puissance à l'époque et atout potentiel contre l'hégémonie américaine dans le Nouveau Monde[1].

Il est une vérité qu'il faut redire ici : en se lançant dans l'aventure confédérale, les Canadiens français ne perdent pas de vue que le Québec reste leur place forte, le lieu d'enracinement et de ressourcement de leur nationalité et de leur identité, le foyer à partir duquel ils peuvent construire le Canada français. C'est d'ailleurs pour fortifier la position de leur patrie historique, le Québec, que ces derniers acquiescent, avec hésitation et sans grand enthousiasme au départ, au projet politique du Canada et qu'ils inscrivent le devenir de leur nationalité dans le pays(age) canadien[2].

Pour bien des membres de l'élite et pour beaucoup d'électeurs de la province, l'adhésion au Canada relève en effet d'un souci pragmatique, voire utilitaire, qui se résume ainsi : ne pas être pour le Canada, c'est risquer d'être absorbé par les États-Unis ou de devenir une province négligeable en Amérique, alors que construire le Canada, et dans ce cadre le Canada français, c'est consolider le Québec.

Il n'existe donc pas de contradiction entre le projet du Canada et le projet du Québec. Mais on ne trouve pas de concordance et encore moins de symétrie entre eux. Dès le départ, le pays s'élève réellement sur une tension fondamentale, qui deviendra une dissonance criante à certains moments, soit durant les épisodes où l'on estime que le Québec — et par extension le Canada français — est victime d'opérations explicites de dépréciation ou de manigances implicites de réduction. Or, de tels épisodes d'excentration et de tassement surviennent effectivement dans les décennies qui suivent la mise en œuvre du pacte confédéral. Parmi les événements les plus spectaculaires à ce chapitre, mentionnons l'affaire des écoles confessionnelles au Nouveau-Brunswick entre 1871 et 1875, et celle des écoles françaises au Manitoba par la suite (1890-1896). Évoquons aussi la pendaison de Louis Riel en 1885 et la question du statut du français dans les Territoires du Nord-Ouest durant les années 1890, puis en Saskatchewan et en Alberta au moment de leur entrée dans la confédération en 1905. Signalons enfin le ressac provoqué, vers la fin des années 1880, en Ontario, par la loi québécoise sur les biens des Jésuites[3], de même que la promulgation, toujours en Ontario mais en 1912 cette fois, du règlement 17 sur l'enseignement en français.

Tous ces faits, c'est un truisme de le dire, entraînent de l'amertume chez les Canadiens français du Québec. À tort ou à raison, ils les interprètent comme la marque d'un affaiblissement de leur position générale au Canada, prélude éventuel à un amollissement similaire de leur pouvoir chez eux, dans leur propre foyer. Or, cette perception, enracinée dans des situations incontestablement fâcheuses ou décevantes qui cachent souvent mal un certain mépris pour le fait français au Canada anglais, crée chez les Franco-Québécois le sentiment d'être écartés, repoussés et diminués, tous horizons qu'ils détestent singulièrement. On comprend dès lors leurs (ré)actions parfois outragées, voire récalcitrantes, aux initiatives ou inactions d'Ottawa et des autres provinces. À toutes fins utiles, c'est le projet cher aux Canadiens français de bâtir le Canada à leur convenance et d'une manière qui fait sens par rapport à leur historicité, celui de la *canadianité**, qui se heurte à un projet concurrent, légitime sans doute mais difficilement compatible avec le leur, et que l'on pourrait appeler celui de la *canadianisation** du pays.

Projets concurrents de construction du Canada

Entre les années 1870 et 1960, l'histoire du Canada se comprend en bonne partie comme celle d'une lutte poli-

---

*Les termes suivis d'un astérisque sont définis de manière détaillée dans le glossaire conceptuel figurant à la fin de l'ouvrage.

tique entre les partisans de deux intentions générales et génériques de construire le pays.

Pour la très grande majorité des Canadiens français du Québec, le Canada apparaît comme l'union de provinces autonomes formant un tout composé, aménageable et souple. Dans leur esprit, les provinces sont le siège *réel* des identités enracinées, alors que le Canada consiste en un lieu *opérationnel* de convergence et de conjonction des intérêts communs. Évidemment, les élites canadianisantes* ne peuvent endosser pareille vision instrumentale du pays. À leurs yeux, le Canada doit être beaucoup plus qu'une simple structure utilitaire : il doit devenir une nation politique peuplée de Canadiens attachés à leur nouvelle patrie. On peut comprendre l'intensité de leur désir en ce sens : fragile et sans enracinement historique, l'État canadien doit être habité, au sens physique et patriotique du terme, à défaut de quoi son avenir est en péril. Au soir du 1er juillet 1867, malgré les célébrations orchestrées ici et là d'Halifax à Toronto en passant par Montréal et Ottawa, la réalité frappe durement l'esprit de ceux qui observent les faits avec lucidité : un nouveau pays est né, certes, mais ses véritables « habitants » sont peu nombreux et leur loyauté demeure volatile. Il faut encore œuvrer à leur multiplication sur le plan démographique et à leur ancrage sur le plan idéologique.

Le projet de canadianisation du Canada renvoie précisément à l'entreprise de construction « par en haut » d'un pays que l'on veut bâtir aussi fort que possible dans les circonstances, de façon à empêcher sa disparition par implosion (écrasement dans ses différences internes), par explosion (dispersion des identités particulières en son sein) ou par dissolution (aspiration de son corps dans le giron américain). Dans l'esprit des canadianisants, le développement du pays exige rien moins qu'un environnement politique, symbolique et linguistique stable et constant, au risque de voir l'« enfant » dépérir. Dans ce contexte, il va sans dire que la vision du Canada comme projet de canadianité — vision tout à fait congruente aux principes d'hétérogénéité, de divergence, d'asymétrie et d'interdépendance chers aux Canadiens français — est inusitée au point de devenir antinomique par rapport au projet de canadianisation du pays.

En pratique, le Canada s'élève donc dans un lieu difficile, capricieux et mouvant, quelque part entre le projet de canadianisation des canadianisants et le projet de canadianité des canadianistes*, lesquels, soit dit en passant, ne sont pas tous du Québec ni francophones. Dès la fondation du Canada, la scène politique du nouvel État est d'ailleurs marquée, et pour un bon moment, par de profondes divergences de vues entre les tenants du projet de canadianisation du Canada, qui possède ses variantes radicales et modérées, et les partisans du projet de canadianité du pays, qui manifeste aussi des tendances multiples allant des plus fermes aux plus conciliantes.

Canadianisants et canadianistes

Entre le milieu des années 1850 et le début des années 1960, le paysage politique canado-québécois est en effet chargé, presque touffu. Ceux qui le marquent et le définissent au premier chef — des politiciens et des intellectuels surtout — sont porteurs de visions différentes du pays, visions parfois compatibles et parfois irréconciliables. S'il est toujours arbitraire et réducteur d'identifier une personne à une orientation politique ou à une obédience idéologique précise et fixe dans le temps, l'entreprise de connaissance autorise des désignations fonctionnelles menées à des fins didactiques. En utilisant les catégories identificatrices introduites plus haut pour grouper les principaux « metteurs en scène » du pays selon le type d'affiliation qui les lie au Canada, le champ politique canadien pourrait être découpé comme suit dans le siècle qu'amorce la Confédération — précisons qu'on associera notre description à une courte liste de figures publiques assez connues :

Du côté des zélateurs canadianisants, on trouve bien sûr des gens comme D'Alton McCarthy, William O'Brien et Clifford Sifton, personnalités tout à fait univoques dans leur façon d'envisager et de construire le pays comme une seule nation britannisée comprenant une majorité anglaise en place et une minorité française à sa place. Mais John A. MacDonald et ses successeurs au Parti conservateur du Canada, notamment Robert Borden et Arthur Meighen, se situent aussi dans ce courant générique, au même titre que Louis Saint-Laurent, premier ministre libéral du Canada entre 1948 et 1957. À la suite de la publication du rapport de la commission Rowell-Sirois en 1940, celui-ci préside en effet à l'extension considérable du champ de la régulation fédérale au pays. En 1949, il va jusqu'à affirmer que « le Québec est une province comme les autres », formule qui sera reprise par la suite. Cela dit, le canadianisme de ces hommes — Saint-Laurent y compris — n'est pas aussi doctrinaire, implacable ou britannisé que celui de McCarthy et consorts. Il reste mû par le geste opportuniste et par un pragmatisme de bon aloi influencé, jusque dans les années 1920, par la théorie du contrat fédéraliste entre les provinces et le gouvernement du dominion[4].

Avec George-Étienne Cartier, décédé en 1873, Wilfrid Laurier apparaît à coup sûr comme l'archétype des canadianisants modérés, lui qui, après avoir résolu la contradiction entre le libéralisme et le catholicisme dans l'imaginaire et l'identitaire canadiens-français[5], cherche à adoucir, avec grande difficulté il est vrai, les tensions grinçantes qui ne cessent de survenir entre francophones et anglophones au pays, de même que celles qui se manifestent entre les membres des différentes confessions religieuses, notamment les catholiques et les protestants. Partagée par quelques intellectuels connus, au nombre desquels figurent Thomas Chapais et l'abbé Arthur Maheux dans la première moitié du siècle, puis Georges-Henri Lévesque et Maurice Lamontagne dans les années 1950, cette volonté d'accommoder les différences dans le cadre d'un bonententisme entre les deux « races » ou nations canadiennes est un objectif également poursuivi par William Lyon Mackenzie King. De 1919 à 1948, soit pendant tout le temps où il dirige le Parti libéral du Canada, ce dernier suit les traces de Laurier quant à sa vision du pays. Flanqué de son fidèle lieutenant politique Ernest Lapointe, King bute toutefois lui aussi sur la réalité tenace des deux solitudes qu'il renforce d'ailleurs, à son grand désespoir, par certaines décisions controversées — souvenons-nous de la crise de la conscription en 1944.

Du côté des canadianistes, les Langevin, Chauveau, Marchand, Lomer Gouin, Chapleau, Taschereau et Godbout se rangent assurément parmi les conciliants, au même titre que, chez les intellectuels et tribuns entendus, les Paul Bruchési, Georges Simard, Eugène L'Heureux, Maxime Raymond, Léon Dion et Claude Ryan[6]. Sans être exempte de tensions, la collaboration des canadianistes conciliants avec les canadianisants modérés est possible et fréquente. Les passages entre l'une et l'autre catégorie sont non seulement concevables, mais ils surviennent effectivement. Selon les conjonctures, il n'est d'ailleurs pas rare de voir un canadianisant modéré se faire canadianiste conciliant ou *vice versa* — citons à ce titre Henri Bourassa qui, au cours de sa vie publique, chevauche continuellement les territoires rapprochés, voire encastrés, de ces deux façons d'être lié au projet du Canada.

Semblable transfert ou transit entre deux affiliations patriotiques est un déplacement beaucoup plus difficile à effectuer pour les canadianistes convaincus, eux qui, du juge Thomas Loranger à Maurice Duplessis en passant par Honoré Mercier, Lionel Groulx, les membres de l'Action française ou de l'Action nationale, Olivar Asselin, Armand Lavergne, Jules Fournier, Omer Héroux, Paul Gouin, André Laurendeau, Michel Brunet et plusieurs autres, n'ont de cesse de réaffirmer la nécessité d'associer le Québec au Canada dans une espèce de conjugaison d'intérêts partagés, mais en conservant des profils distincts. À noter que, si les canadianistes fervents flirtent parfois avec l'idée de séparation — songeons seulement au concept d'État français chez l'abbé Groulx —, leur paradigme réflexif n'est pas celui de l'indépendance, mais celui de la meilleure place possible du Québec dans le pays(age) canadien, sorte de souveraineté-partenariat avant la lettre. Inspirés par une conception élargie du Canada français auquel le Québec est lié de manière organique, les canadianistes convaincus se rallient en effet à une vision générale du pays qui, pour eux, fait office de stratégie politique. Cette représentation se résume à ceci : rendre la Confédération conforme à ses origines et à ses principes en ne cessant jamais de maintenir une pression sur ceux qui altèrent, corrompent ou flétrissent la nature du pacte (re)fondateur du Canada, lequel sanctionne un mariage de raison entre deux nations irréductibles au Même. Il va sans dire que cette façon de voir les rapports entre le Canada et le Québec, comme une association rationnelle et relationnelle entre deux peuples égaux, séduit de larges pans de la population québécoise, qui y reconnaît le lieu de son historicité particulière, situé quelque part entre le Soi et l'Autre, l'Ici et l'Ailleurs, le Nous et l'Eux.

Canadianité québécoise

Durant la période qui va de la Confédération à la Révolution tranquille, l'intention politique des Canadiens français du Québec, qui conditionne leur attitude au moment des élections, n'a surtout rien de simple ou d'univoque. Elle se maintient dans l'axe d'une ambivalence éprouvée que rien ne semble ébranler.

Il est clair ainsi que le projet de canadianisation du Québec, associé à la perspective d'une fusion avec l'Autre ou à celle d'une incorporation dans l'Autre, n'intéresse qu'une petite fraction de la population — essentiellement les grands bourgeois anglophones de Montréal qui, jusque vers les années 1950, sont dans une position de domination économique au pays. Cela dit, il est tout aussi évident que la perspective d'une refondation radicale de la nation, dans l'idée de société catholique ou dans celle de l'indépendance, ne séduit pas plus les habitants de la province[7]. Bien que propagé en chaire par de nombreux curés passionnés, le *Programme catholique*, publié en 1871 sous les auspices de Mgr Laflèche et visant à contrarier l'idée d'une séparation entre l'Église et l'État, est ainsi poliment rejeté par la classe politique et la population. Il tourne court, au même titre d'ailleurs que les préceptes d'un Louis-Adophe Pâquet qui, au début du XXe siècle, claironne que la mission des Canadiens français est d'« entretenir le foyer lumineux de la religion plutôt que d'allumer le feu des usines ». Quant à la possibilité de créer une Laurentie ou de se séparer du Canada, sorte de démarche extrême proposée de temps à autre à l'opinion publique par des excentriques comme Médéric Lanctôt (1865), Jules-Paul Tardivel (1895), Émile Bruchési (1920), Paul Bouchard (1936), les frères Walter et Dostaler O'Leary (1937) ou Raymond Barbeau (1957), elle n'attire pas les Franco-Québécois parce qu'elle leur paraît annonciatrice d'exil et d'excentration plutôt que prometteuse de libération et d'émancipation.

En fait, l'indépendance nationale comme sortie de Soi « par le haut » et hors de l'Autre est une perspective crainte par les Franco-Québécois au même titre que celle d'être liquidés « vers le bas » par cet Autre qui ne voudrait plus d'Eux. Dans un cas se profile en effet l'ombre de l'exclusion alors que, dans l'autre, se manifeste le péril de l'isolement. C'est dire que la perspective de l'indépendance (être *hors* de l'Autre) effraie les Québécois tout autant que celle de la dépendance (être *dans* l'Autre). Seule l'interdépendance leur semble attirante, car elle correspond à leur volonté d'être avec l'Autre, sans s'incorporer en Lui.

Or, cette idée d'interdépendance renvoie au désir de refondation des Canadiens français contenu dans le(ur) projet déjà envisagé de canadianité modérée et dont la forme politique devient, dans les années 1860, pour l'élite qui réussit en cette matière à convaincre l'électorat d'adhérer à sa vision des choses, celle de la Confédération.

À moins de postuler que toute une population, victime de sa propre inconscience et figée dans la glace de son hiver de survivance, est entièrement sous la coupe d'intellectuels et de politiciens inhibiteurs d'émancipation collective, on aurait tort de croire que l'AANB est perçue comme un fléau par la majorité des habitants du Québec. En fait, c'est le contraire qui est vrai, comme en témoignent l'orientation et la distribution de leur vote lors des élections pendant près d'un siècle. Jusque dans les années 1960, les Canadiens français du Québec s'accrochent en effet au régime de l'union confédérale, qu'il soit porté par les libéraux ou par les conservateurs. Or, ce choix de leur part ne tient pas à un forçage politique. Les Franco-Québécois penchent pour la Confédération parce que cette option leur offre un lieu d'épanouissement qui les mène à collaborer sans être assimilés tout en leur permettant de s'autonomiser sans être exclus. Lorsqu'ils critiquent le régime fédéral, leurs doléances et protestations ne visent d'ailleurs pas à sortir de la structure de (ré)union à laquelle ils participent, mais à l'aménager de manière à retrouver, dans son cadre estimé malléable et façonnable, une position d'équilibre optimal entre les quatre pôles de leur historicité.

Aux yeux d'une majorité de Franco-Québécois, qui ne se nomment pas encore ainsi tout en agissant déjà comme tels, le pacte confédéral permet en effet au groupement d'éviter l'uniformisation de la cité universelle (crainte de l'anonymat) tout autant que le péril du provincialisme (crainte de la marge) en même temps qu'il leur concède le droit à l'égalité (souci de normalisation) et à l'identité (volonté de distinction). On pourrait exprimer cette idée d'une autre façon en disant de la Confédération qu'elle permet aux Canadiens français du Québec de cumuler, au sein de leur espace premier de référence et sans avoir à prendre un risque énorme pour les obtenir ou en jouir, les avantages de la nationalité politique et les privilèges du lien patriotique, les atouts de la modernisation et les assurances de la tradition, les ouvertures du libéralisme et les inspirations du catholicisme — à l'époque un élément central de la définition identitaire des intéressés. De manière générale, la Confédération est vue par une majorité de Franco-Québécois comme un moyen de concilier leur désir de transformation et de continuation, d'assortir leur appétit de collaboration et d'affirmation, d'harmoniser leur volonté de rapprochement et de détachement, et de conjuguer leur souci d'égalité et de différence. Pour la plupart des Québécois, le pacte confédéral est un horizon d'avancement, pas de recul.

De la canadianité sans canadianisation

Pendant les presque cent ans qui vont de la promulgation de l'AANB au début de la Révolution tranquille, la tradition revendicatrice et contestataire des Canadiens français du Québec, tout en étant différemment exposée ou exprimée par ses nombreux penseurs, rhétoriciens, défenseurs ou supporteurs, se poursuit à travers la volonté très largement partagée dans la population d'être Canadiens sans être canadianisés. On pourrait traduire en termes politiques cette sentence par la formule suivante : de la canadianité sans canadianisation. Dans cet aphorisme paradoxal, véritable devise des Canadiens français du Québec et inspiration de l'hymne au Canada que Basile Routhier et Calixa Lavallée composent pour les leurs au début des années 1880[8], il y a reconduction d'un désir d'interdépendance sans fusion, de collaboration autonomiste et de participation distante qui, à l'époque du régime anglais déjà, marquait l'agir des anciens Canadiens, eux qui prônaient la britannicité... dans la mesure où elle n'entraînait pas de britannisation !

Cette argumentation nous mène à une proposition forte : l'adhésion au Canada des Canadiens français du Québec, sincère et confirmée à maintes reprises, se fait, de la Confédération à la Révolution tranquille, dans l'optique de consolider la situation du Québec sur l'échiquier continental et atlantique, d'une part, et à l'aune d'une position politique de temporisation, de conciliation et de modération avec l'*alter ego* canadien, d'autre part. Au cours de ce siècle, l'attitude des Franco-Québécois concernant leur avenir n'en est donc pas une de résistance ou de simple survivance, comme on l'a répété *ad nauseam*, mais de déploiement et de positionnement offensif dans un environnement complexe, en fonction de choix intimement liés aux canons de leur historicité dont on a vu qu'ils étaient (am)bivalents.

En pratique, il est clair que le groupement ne gagne pas sur tous les fronts ni ne remporte toutes les batailles dans lesquelles il se commet ou est engagé. Le dessein de consolider le Québec et le Canada français par la construction du Canada engendre en effet son lot de frustrations et de restrictions. Ainsi, les communautés francophones hors Québec multiplient les déboires dans leur tentative de poser les conditions propices à leur stabilisation et à leur reproduction dans l'espace/temps. La situation générale que vivent ces « frères dispersés », pour reprendre une expression d'Edmond de Nevers, ennuie d'ailleurs beaucoup les Franco-Québécois qui craignent de connaître un sort similaire du fait que la modernisation en Amérique du Nord, y compris à Montréal bien sûr, s'effectue résolument en anglais. Les questions de compétence et les conflits de régulation entre les gouvernements provinciaux et le gouvernement fédéral, qui fonctionne très largement en anglais[9], sont un autre motif d'inquiétude pour les Franco-Québécois qui, dans ce contexte, ont l'impression d'être écartés. Déjà, dans les années 1880, des expressions comme « unilatéralité des décisions du gouvernement fédéral », « centralisation des pouvoirs à Ottawa » et « autonomie provinciale », usuelles de nos jours au point de faire partie du langage courant, fusent dans l'espace public et exacerbent les passions[10]. Par ailleurs, la construction du Canada tel que l'envisagent les canadianisants se heurte parfois à la vision du Canada des canadianistes, laquelle est fondée sur l'idée d'une autonomisation maximale du Canada comme pays souverain à l'intérieur de l'Empire. Pour les canadianistes, la décision prise par le gouvernement fédéral en 1899 de soutenir la Grande-Bretagne dans sa guerre contre les Boers constitue une preuve indéniable que les canadianisants conservent un fort rapport de dépendance politique et patriotique envers l'Angleterre. Cette impression leur revient à l'occasion des deux Grandes Guerres alors que le Canada participe aux offensives alliées sous la direction de la Grande-Gretagne ou dans son giron. Pour bien des Franco-Québécois, canadianisation rime en pratique avec britannisation, une perspective refusée par eux depuis longtemps[11].

Cela dit, on aurait tort de croire que les Canadiens français du Québec parlent d'une seule voix ou partagent une conception unique de ce que devrait être la nature du rapport qui lie le Québec au Canada — lieu et enjeu principaux de cristallisation de leur intention nationale durant ces années. Même à l'intérieur du camp des canadianistes québécois, il n'y a pas d'unanimité de vues sur le meilleur moyen à prendre pour consolider la place du Québec et du Canada français dans le pays(age) canadien. Il n'existe pas non plus, chez eux, de consensus sur la façon la plus efficace d'assurer le progrès de la société québécoise.

Aux yeux de certains acteurs, souvent des hommes d'Église, un curé Labelle, un Mgr Bégin ou un Richard Arès, par exemple, mais aussi chez certains intellectuels comme Esdras Minville, François-Albert Angers et les animateurs laïcs de l'École sociale populaire, la stratégie la plus appropriée pour le groupement consiste à occuper le front de la tradition, de la religion et de la patrie, tout en se déployant sur celui de la modernité, du marché, de la citoyenneté, du libéralisme modéré et de la subsidiarité de l'État. Pour d'autres, un Errol Bouchette, un Alphonse Desjardins ou un Édouard Montpetit, par exemple, auxquels on pourrait ajouter plusieurs membres de la Jeunesse étudiante catholique ainsi que les ténors de la faculté des sciences sociales de l'Université Laval, la manœuvre la plus indiquée est inverse. Elle consiste à mettre l'accent sur la modernité, le marché, le libéralisme modéré, l'intervention restreinte de l'État et les privilèges de la citoyenneté étendue, mais sans jeter par-dessus bord l'héritage, l'histoire, la culture spirituelle et le foyer québécois.

D'un côté, on le voit bien, il y a volonté de consolider une référence pour renforcer le groupement en lui permettant d'évoluer dans un monde changeant sans s'y perdre ou s'y confondre ; de l'autre, il s'agit d'actualiser la référence pour régénérer le groupement de manière à le transformer et à lui permettre de s'ouvrir au nouveau sans pour autant le couper de son histoire. Nulle surprise dans cette divergence de vues entre conservateurs libéraux et libéraux conservateurs sur la façon la plus appropriée de faire avancer leur société : la remise en cause des fondements de l'identité historique des Québécois a toujours suscité beaucoup de tapage entre les « traditionalistes » et les « modernistes ». Or, dans les années 1950 — décennie charnière s'il en est une —, les heurts se font de plus en plus fréquents et intenses entre l'un et l'autre courant, sur le plan discursif en tout cas.

Jusqu'au début des années 1960, nul vainqueur n'émerge pourtant du souque à la corde que se livrent les deux tendances dominantes au sein du monde des canadianistes québécois. Il faut dire que la « compétition » est très habilement arbitrée ou exploitée par Maurice Duplessis au profit de ses réélections successives. Certaines formules utilisées par le « Chef » ou ses fidèles pour définir l'orientation du régime : « restons traditionnels et progressifs », « le progrès, c'est la tradition en marche », « le sens même d'une fédération est de permettre aux États fédérés d'organiser leur vie propre suivant leurs traditions », témoignent éloquemment de la virtuosité des duplessistes à épouser les paradoxes de l'historicité québécoise sur le plan de l'identité (désir de perdurer et de muer) et sur celui de l'altérité (désir de se rapprocher et de se distancer).

Sans marquer de rupture décisive avec la dynamique de cette historicité, la Révolution tranquille, qui plonge ses racines dans la transformation sourde mais fondamentale que connaît le Québec au temps de Duplessis, coïncide cependant avec une évolution sensible des choses au chapitre de la tension entre les variables de l'équation québécoise.

La Révolution tranquille

Durant les années 1960, trois hommes estimés et fort populaires, incarnant respectivement de larges mouvements d'opinion, marquent de manière déterminante le paysage politique québécois. Chacun à sa façon et sur la base d'objectifs assez différents, ils entreprennent de creuser ou de contester le projet historique de canadianité des Québécois d'héritage canadien-français. À leurs yeux, ce projet mérite en effet d'être redéfini (Lesage), largué (Lévesque) ou dépassé (Trudeau) pour permettre aux intéressés de continuer à progresser et à prospérer.

Lesage

Parmi les trois figures centrales de la Révolution tranquille, Jean Lesage est celui qui est le plus en phase avec le projet de la canadianité modérée. L'objectif qu'il partage avec ses principaux ministres — les Paul-Gérin Lajoie, Eric Kierans, George-Émile Lapalme et René Lévesque — est ambitieux mais pragmatiste. Il vise à inscrire et instituer la référence de la modernité et celle de la citoyenneté (souci d'égalité des droits et d'universalité des privilèges) au cœur de l'identité et de la nationalité québécoises, sur un mode qui ne soit pas ambigu comme auparavant. L'intention de Lesage et de ses acolytes est également de contrer le processus rampant de canadianisation du pays, qui se fait à travers une régulation fédérale étendue, en lui opposant un projet de canadianité rénovée qui se présente désormais sur le mode et les atours de la *québécité**.

Par rapport au projet antérieur de canadianité, celui de québécité marque une mutation. Il n'implique pas de rupture cependant avec le paradigme historique du devenir québécois dont on a vu qu'il se résumait à la devise paradoxale : « Être avec l'Autre, distinctement, voire séparément. » En pratique, le programme de Lesage vise à rétablir la place du Québec au centre d'une espèce de carré politique jugé vertueux par la majorité des Québécois et dont les quatre côtés sont formés par la volonté d'autonomisation, le désir de collaboration, l'envie de refondation et l'appétit de continuation.

Au dire des grands paroliers de la Révolution tranquille, dont plusieurs sont passés par la faculté des sciences sociales de l'Université Laval, Duplessis avait en quelque sorte, durant son règne interminable et néfaste pour la province, un règne de « Grande Noirceur », affaibli la position du Québec en la désaxant au profit du pôle de la tradition et de celui de la marginalisation. Ce faisant, le « Chef » avait mené le navire québécois près des récifs de la folklorisation et de l'excentration. Il était donc impératif de retirer la province de ces eaux périlleuses pour la réinstaller dans une voie de passage vers l'avenir qui soit prometteuse. Le moteur permettant à la barge québécoise de se repositionner dans le courant de son historicité serait celui du nationalisme d'affirmation, sorte de projet explicite de promotion collective différent du nationalisme de conservation pratiqué jusque-là. Quant au timonier pilotant le cargo de l'affirmationnisme national, ce serait l'État interventionniste québécois. Trouvant sa légitimité constitutionnelle dans une interprétation particulière des conclusions de la commission Tremblay, cet État ne serait rien moins que l'emblème d'une collectivité cherchant à se redéployer fébrilement sur les eaux imprévisibles de son devenir, mais sans sortir du chenal de la navigation sûre. On ne doit pas mal interpréter, en effet, la nature du changement proposé par le PLQ au début des années 1960. En lançant le Québec dans un programme de modernisation tous azimuts, Lesage — un canadianiste conciliant — visait à libérer la société québécoise des obstacles qui obstruaient sa progression vers l'aval de son long fleuve tranquille. Son intention n'était absolument pas d'amener cette société à changer de cap pour la voir partir à la dérive et se perdre sur une mer agitée.

On peut définir le nationalisme d'affirmation comme étant l'expression d'une volonté d'occuper ou de récupérer, sur un mode éminemment moderne et en fonction d'objectifs amples de régulation sociale, tous les champs de compétence accordés aux provinces par la constitution de 1867 (désir d'autonomisation). Le nationalisme d'affirmation se comprend également comme un moyen de rénover le foyer québécois de manière qu'il réponde et corresponde aux besoins d'épanouissement des Québécois à l'ère de l'hypertechnologisme, du droit au bien-être, de la société juste et de la concurrence internationale (désir de refondation). Le nationalisme d'affirmation traduit aussi l'ambition de ses promoteurs de rétablir la place centrale du Québec dans le pays(age) canadien, autant du point de vue économique que politique (désir de participation). En s'appuyant sur le postulat d'une identité historique à préserver mais à ne pas figer dans des figures déphasées, le nationalisme d'affirmation vise enfin à renforcer une problématique sociétale acquise, celle du Québec comme société distincte, exprimant le désir de bâtir le Québec comme une société équivalente aux autres en même temps que différente de ses voisines (volonté simultanée de particularisation et de normalisation du parcours du groupement).

On le voit bien, l'intention nationale à laquelle se rapporte le projet de québécité préconisé par Lesage et ses collègues est subtile. Il faut en saisir les logiques paradoxales.

Au premier chef, ce projet a pour but de libérer la province du programme global de canadianisation du pays mis en avant par le gouvernement fédéral et dont les effets d'« harmonisation nationale », associés par plusieurs au péril de l'incorporation ou à celui de l'assimilation, gênent les aspirations du Québec à consolider son identité historique particulière. Cela dit, on ne vise pas par le projet de québécité à dissocier la province des grands processus d'institution politique, sociale et civique qui marquent l'Occident industriel à la même époque, ce qui risquerait d'isoler ou de marginaliser la société québécoise. Au contraire, il y a plutôt, chez Lesage et consorts, une volonté d'inscrire le Québec dans le sens de ce qui se fait ailleurs, y compris au Canada, mais à partir de préoccupations centrées sur les besoins d'ici. À cet égard, il faut dire que la Révolution tranquille qui s'opère au Québec dans les années 1960 ne lui est pas spécifique ; par cette « révolution », la province emprunte plutôt une direction suivie par toutes les démocraties occidentales. Soulignons enfin que si, dans son ambition générale et ses orientations particulières, le projet de québécité incorpore un désir ferme de transformation sociale et de consolidation d'une identité historique, il se distingue néanmoins d'un projet concurrent de refondation sociétale : celui de l'indépendance, tout autant qu'il se différencie de celui, rémanent, de la *québécitude**, soit la volonté de définir le collectif et de modeler son avenir à l'aune des seules figures de sa spécificité et de sa tradition — une manière d'être ensemble chantée à l'époque par Félix Leclerc, mise en image par Pierre Perreault et célébrée par bien des fidèles de la Société Saint-Jean-Baptiste.

Dans le projet de québécité, il y a donc un désir de rattachement à l'Autre sans incorporation à Lui et une volonté de détachement de l'Autre sans séparation de Lui. Dans ce projet, il y a aussi un désir de régénération du Soi sans déshistoricisation du Nous et une volonté de reproduction du Nous sans fixation à Soi. On retrouve ici les termes de la « quadrilectique » coutumière de l'intention politique nationale des Franco-Québécois : ni en eux ni sans eux, ni en soi ni hors-soi.

Avec la Révolution tranquille, oxymoron témoignant sans ambages d'un désir de refondation modérée, la société québécoise se recentre sur son axe historique dominant, celui de sa participation distinctive à un ensemble signifiant. Inspiré par les premières conclusions de la commission Laurendeau-Dunton, le gouvernement de Lester B. Pearson, qui s'ouvre à la pratique du fédéralisme coopératif et accepte le principe de l'*opting out* pour une province[1], rend d'ailleurs possible un tel recentrage. Manifestement, le réajustement historique proposé aux Québécois par les révolutionnaires tranquilles correspond à la vision, partagée à l'époque par la majorité des gens, d'un « Québec fort dans un Canada neuf », pour le dire comme André Laurendeau, ou d'un « Québec indépendant dans un Canada uni », pour user de la formule d'Yvon Deschamps. Cela dit, le recentrage du Québec dans le pays(age) politique canadien et par rapport à l'axe habituel de son évolution historique ne lui permet pas de sortir de la logique de ses dualités paradoxales. Or, dans les années 1960, celles-ci en indisposent plusieurs : on les lie volontiers aux tergiversations constitutionnelles entre le fédéral et les provinces de même qu'à la reconduction du paradigme des deux solitudes qui ronge le pays. Pour certains, la ligne politique à suivre est on ne peut plus claire dans les circonstances : il faut sortir le Québec des impasses ennuyantes et pesantes qui marquent ses rapports avec Ottawa.

Lévesque

Au sein même du gouvernement Lesage, il est en effet un courant plus autonomiste, orbitant autour du charismatique René Lévesque, qui voudrait faire davantage que seulement rediriger le Québec dans la voie habituelle de son historicité. Pour ces gens, les dualités paradoxales du Québec sont génératrices d'inertie et de circularité. Pis, elles empêchent les Québécois, et notamment les francophones, de se développer au diapason de leurs possibilités. Au dire de Lévesque et de ses compagnons, le principe de la refondation modérée, celui de la proximité distante avec l'Autre et celui de l'incorporation au sein de grands ensembles — trois tendances politiques fortes chez les Québécois — constituent autant d'attitudes nuisibles au groupement rebaptisé *nation québécoise* par moult penseurs et chroniqueurs à la suite de la tenue des États généraux du Canada français en 1967. Selon Lévesque, qui abandonne le Parti libéral cette année-là pour fonder le Mouvement souveraineté-association (MSA), il y a nécessité d'aller plus loin. Son message est sans équivoque : il ne faut plus simplement, comme peuple, ouvrir des brèches dans l'histoire, il faut aussi, en tant que nation moderne, faire l'Histoire, à titre de Sujet collectif se réalisant enfin comme tel et sur un mode désiré et désirable, dans la trajectoire d'une historicité normale et attendue[2].

À sa manière, c'est-à-dire en dissociant sa démarche de toute idée de violence et en la liant à une quête profondément démocratique de souveraineté nationale, voire d'émancipation populaire à certains égards, ce qui séduit bien des gens de gauche et le mouvement syndical en général, Lévesque ramène dans le paysage politique québécois le projet d'une refondation globale du groupement. Inspiré par une pragmatique de l'avancement collectif tout autant que par une idéalité de l'accomplissement historique, Lévesque entend conjuguer et synthétiser, dans la souveraineté du Québec, la citoyenneté, l'identité, la nationalité et la modernité québécoises. Ce faisant, il ambitionne d'éloigner les Québécois du spectre de l'assimilation tout en les débarrassant de la crainte de l'excentration — un coup double sur le plan de la régénération de l'historicité du groupement. Au fond, l'intention de Lévesque est de sortir les Québécois de l'espace, inhibant à ses yeux, des situations ambiguës dans lesquelles ils sont empêtrés. Or, dans une société emportée par le dynamisme de sa jeunesse, qui croit en ses moyens et à laquelle le succès d'Expo 67 donne des ailes, un tel projet intéresse et mobilise passablement les citoyens à défaut de les convaincre et de les rallier résolument. La création du Parti québécois, en 1968, vecteur et symbole par excellence d'un nationalisme de contestation et de refondation différent du nationalisme d'affirmation prôné par Lesage et Johnson, ouvre aux Québécois un nouvel horizon politique — celui de la *québécisation** de leur devenir.

Si les gens qui suivent Lévesque avec enthousiasme ne forment pas la majorité des Québécois, ils sont néanmoins nombreux. Mais ils sont aussi fort différents les uns des autres aux chapitres de leur culture politique et de leur aspiration au changement. Prenant son élan à la suite de la dissolution du RIN des Bourgeault, Ferretti et d'Allemagne, de la disparition du RN des Grégoire et Jutras, et du sabordement du MSA que Lévesque avait lui-même mis sur pied, le Parti québécois regroupe en son sein, dès le départ, des nationalistes aux velléités diverses. Il attire aussi la sympathie de bien des personnes pour qui l'indépendance ne constitue qu'un moyen d'atteindre un niveau de bien-être collectif encore plus élevé, nirvana que les termes à la mode d'autogestion, de socialisme et de décolonisation rendent assez bien.

Rapidement, le Parti québécois est donc investi par une foule de groupuscules, d'acteurs et de mouvements sociaux de gauche ou de droite, d'obédience socialiste ou d'orientation ethnocentriste, qui cherchent à infléchir ou à influencer son programme en le liant au leur. Or, cette situation contrarie Lévesque tout en érodant sa position et sa crédibilité politiques aux yeux de la masse. Promptement et fermement, surtout après les événements d'octobre 1970 qui braquent la communauté anglophone en plus d'inquiéter une bonne partie des francophones de la province, le chef du Parti québécois croit nécessaire de rappeler, à tous ceux qui se livrent à des suppositions plus ou moins fondées sur sa formation politique, que le PQ se démarque complètement des irréductibles qui, felquistes en tête, prônent une accession ou une transition non démocratique à l'État indépendant du Québec. En même temps, Lévesque établit une distance nette avec ceux qui adhèrent à une conception ethnocentrique du projet souverainiste et qui n'ont de cesse de réclamer, au point d'en faire une fixation, la promotion, la primauté et la préséance du (seul) Québec français — souvenons-nous du slogan ambigu entonné à tous vents par les foules : « Le Québec aux Québécois. »

Dans la volonté de Lévesque de se dissocier de toute forme de radicalisme actantiel ou discursif, il ne faut surtout pas voir un coup de théâtre de petit politicien. Profondément démocrate, l'ancien ministre libéral est un homme réaliste et près des gens. Sa conception d'un Québec souverain consiste en un projet à faire grandir, sorte d'idée générale ouverte au compromis. Elle ne relève en rien d'une thèse inébranlable, énoncée de manière abstraite et une fois pour toutes, qu'il ne resterait qu'à appliquer *mutatis mutandis.*

Quelques années seulement après sa fondation, le PQ entreprend donc de recadrer formellement son projet et son orientation politiques, cela dans une voie qui n'est ni trop à gauche ni trop à droite et qui, en se faisant centriste, rejoint davantage la culture et les aspirations politiques d'une majorité de Québécois qui préfèrent les sentiers mitoyens de l'affirmation accommodante et du libéralisme conciliant (désir de participation et de continuation) aux positions extrêmes de l'affirmation conquérante et de la solidarité à tout crin (crainte de l'isolement et de l'auto-enfermement). S'il ne faut pas douter que les Québécois sont ouverts à l'idée d'une refondation éventuelle de leur condition politique, celle-ci — et Lévesque l'entend bien — sera modérée plutôt que radicale. Elle se fera par ailleurs dans un souci de modification progressive plutôt que de transformation brusque de la donne collective.

Faisant preuve d'une lucidité politique et d'une flexibilité idéologique qui irritent plusieurs de ses collaborateurs au PQ, qu'ils soient membres et sympathisants du parti (Bourgault, d'Allemagne, Vallières) ou qu'ils œuvrent au Parlement (Robert Burns), Lévesque procède par ailleurs, en 1974, à une deuxième opération de recentrage de son projet de refondation. Inspiré par son conseiller Claude Morin, le chef du PQ renoue carrément avec le projet de souveraineté-association qu'il amollit dans ses prescriptions et rend expressément conditionnel à une démarche politique menée en accord avec les principes du gradualisme et de l'« étapisme ». Pour gagner l'assentiment des Québécois à sa cause, Lévesque ramène l'idée de québécisation du Québec dans l'optique de la notion de québécité qui, on l'a vu, n'était pas particulièrement éloignée de celle de canadianité. Du coup, il y a rapprochement, presque confusion, des projets. Or, sur le plan électoral, cette stratégie rapporte. Le PQ prend le pouvoir en novembre 1976, l'emportant sur les libéraux de Robert Bourassa dont le gouvernement, miné par l'usure de deux mandats consécutifs à l'Assemblée nationale, se situait directement dans la continuité des dualités paradoxales de Lesage.

À la suite de son triomphe, le parti de Lévesque est toutefois lié par un mandat de bon gouvernement qui l'engage à protéger et à promouvoir les intérêts du Québec *avec et contre* Ottawa, bien davantage qu'il ne l'investit de la mission historique de réaliser l'indépendance du Québec. Ce que veulent la majorité des Québécois, en appuyant un parti susceptible d'établir un rapport de force optimal avec le Canada anglais, c'est consolider la position du Québec comme société distincte dans une relation d'interdépendance avec le Canada. Nul désir ici de s'exiler d'un grand ensemble. Nulle ambition non plus de sortir du pays(age) canadien. La souveraineté québécoise dans la continuité canadienne, sorte de variante de la thèse des deux nations réunies dans une superstructure fonctionnelle concoctée pour le bien-être et la prospérité de tous, voilà ce que recherchent les Québécois, y compris les francophones. Dans les faits, la vision qu'ont ces derniers de leur avenir se situe dans l'horizon de la québécité bien plus que dans celui de la québécisation.

Ennuyé par la perspective d'une telle ambivalence politique, qui lui paraît restrictive pour le Québec, Lévesque pousse ses concitoyens à trancher l'un des nœuds gordiens de leur condition supposée de soumis ou de « manqués ». Impatient de les « désambivalencer », il sollicite auprès d'eux, dans le cadre d'un référendum soigneusement préparé, le mandat de négocier une nouvelle association politique avec le Canada anglais, cela dans la perspective d'un partenariat économique avec cet *autre et même* pays. Modérée jusqu'à la réserve, cette demande essuie pourtant un refus cinglant. Lévesque se retrouve dès lors en situation de fragilité politique. Les cinq années qui le séparent de sa retraite sont coûteuses pour son projet, qu'il tente d'arrimer au « beau risque » canadien que lui propose Brian Mulroney. Elles le sont tout autant pour sa position personnelle de chef du PQ, qui est ouvertement contestée par ses collègues — souvenons-nous du « renérendum » de 1982 et de la démission de cinq ministres de son gouvernement, en 1984, pour protester contre sa volonté de revenir sur l'article 1 du programme du parti. Elles le sont enfin pour sa santé, qui se détériore sournoisement[3]. Lévesque meurt de façon subite en novembre 1987. Il a droit à des funérailles nationales et entre *illico* au panthéon québécois, acquerrant rapidement le statut de personnage emblématique, presque mythique, dans le légendaire national.

Trudeau

La troisième figure centrale de la Révolution tranquille québécoise est celle de Pierre Trudeau. Contrairement à l'image qu'on a donnée de lui, celui-ci est profondément québécois — ou plutôt canadien francophone. Il se distingue toutefois de ses deux collègues par sa volonté inébranlable de mener les siens hors de l'historicité de leur ambivalence, de leur conscience collective fatiguée et de leurs réflexes de « petits » et de « perdants ».

Trudeau, on le sait, veut sortir les Québécois de leurs dualités paradoxales, qu'il tient pour la cause de leur piétinement supposé. En cela, il se démarque d'un Lesage, d'un Bertrand ou d'un Bourassa, qui reconduisent ces dualités au point d'en faire le principe de leur gouvernance. Mais Trudeau se différencie également de Lévesque en ce qu'il entend pousser les Québécois hors de leur refuge traditionnel : la province de Québec, foyer qu'il (se) représente comme une « pauvre patrie de pauvres », sorte de lieu de contentement facile pour une collectivité qui pourrait prétendre à mieux, voire à l'universel, mais qui persiste à enclore son devenir dans une perspective déficitaire et restrictive, celle que lui prescrit le nationalisme ringard de ses intellectuels et de ses chefs, forts dans leur Icarie laurentienne mais véritables eunuques dans les Babylones du monde[4].

Pour Trudeau, l'option du Québec comme société distincte ou nation politique est rien moins qu'un cul-de-sac pour les Québécois. Elle est un emprisonnement dans l'Entre-Nous, un embrigadement dans la circularité historique, un enfermement dans la médiocrité collective, un internement dans la résistance éternelle et un engluement dans les petites misères revanchardes. Acerbe à l'endroit de tous ceux qui s'affichent nationalistes, des plus éloquents, comme Séguin, Vallières, Dumont ou Vadeboncœur aux plus remontés, comme Chaput, Pilon ou Le Sauteur, Trudeau se fait croisé pour les siens — qui le déçoivent à bien des égards — en cherchant à les conduire dans un lieu d'être qu'il voudrait universel.

Pour Trudeau, le lieu concret à transformer en un lieu nouveau, siège de l'évolution d'une multiplicité d'identités convergeant dans un creuset postnational[5], c'est la fédération canadienne. Sortir le Canada de ses solitudes intérieures, sortir les habitants de ce pays, les Québécois y compris, de leurs identitaires étroits pour les projeter dans un espace d'interrelations conduisant à une libération et à une transmutation collectives où les conflits ethniques n'existeraient plus, voilà son programme. L'objectif de Trudeau n'est pas d'affaiblir les Québécois, de les évider culturellement ou de favoriser leur assimilation. Son paradigme n'est pas, comme celui de ses prédécesseurs, la canadianisation du Canada, soit la construction d'un pays selon les principes traditionnels du *nation building* où trône la loi de la majorité et où les groupements, incapables de dépasser leurs identités particulières, s'entre-déchirent dans des logiques communautaristes sectaires. Son paradigme est celui plutôt de *la canadiennisation** du Canada, soit la reconstruction d'un pays comme société multiculturelle où l'esprit civique a une fois pour toutes dévoré les logiques ethniques et où les droits prescrits ne sont plus affaire de marchandage inégal entre majorité et minorité, ou entre forts et faibles, mais affaire de justice sociale inscrite dans la loi fondamentale du pays, laquelle rehausse le patriotisme constitutionnel, la citoyenneté juridique et la liberté individuelle par rapport à la nationalité culturelle, l'identité collective et la régulation tentaculaire de l'État « jusque dans les chambres à coucher ».

En pratique, Trudeau veut non seulement « désambivalencer » les Québécois, soit les libérer de leur double allégeance paralysante au Québec comme patrie et au Canada comme pays. Il aspire également à les « révolutionner », c'est-à-dire à les dégager de leur nationalité et de leur identité traditionnelles pour leur permettre d'accéder à un nouveau statut historique, celui de canadienniste*. On pourrait dire de l'ancien cité-libriste qu'il entend dénationaliser les Québécois pour les postnationaliser dans le Canada.

Dans le but de parvenir à ses fins, Trudeau va très loin et trucide symboliquement, par des coups de gueule arrogants, tous ceux qu'il qualifie de « mangeurs de hot-dogs », que les personnes ainsi dépréciées préfèrent la saucisse de marque Canada Packers ou celle estampillée La Belle Fermière. Pour « déprovincialiser » la condition canadienne-française au Canada et lui permettre de se dépasser dans l'universalité canadienniste, qui fait théoriquement fi de la notion de Canada anglais, le « cosmopoliticien » de Montréal passe la loi sur les langues officielles en 1969, renforce le bilinguisme dans la fonction publique fédérale et incite les jeunes de tout le pays à maîtriser le français et l'anglais. Sur le plan de la gouvernance, il confie à des francophones un nombre considérable de postes clés à Ottawa et fait de certains d'entre eux, en tant que canadiennistes confirmés, les gouverneurs du nouveau pays auquel il songe — pensons seulement aux Gérard Pelletier, Jean Marchand, Marc Lalonde, André Ouellet et Jean Chrétien.

Perçue sous l'angle de leur promotion collective par leaders interposés, cette initiative plaît aux francophones tout en irritant bien des canadianisants anglophones.

Cela dit, pour construire son utopie canadienniste, Trudeau se commet dans d'autres actions et directions qui ont une résultante contraire, soit d'agacer des francophones et de plaire à beaucoup d'anglophones et de néo-Canadiens. Il passe ainsi la loi sur le multiculturalisme en 1972, fustige systématiquement les « séparatistes », qu'il traite de déphasés et se fait le protecteur inconditionnel des minorités, y compris la minorité anglaise au Québec. En 1982, il rapatrie de Londres la Constitution canadienne dont il modifie les règles d'amendement d'une manière qui met fin au veto québécois en plus d'y enchâsser la pièce maîtresse de son rêve postnational : une charte des droits et libertés de la personne qui a préséance sur tout autre document apparenté, y compris la charte québécoise adoptée en 1975.

Dans les faits, le rêve de Trudeau se révèle toutefois difficile à appliquer. Au Canada anglais, son projet est rapidement récupéré au profit d'un processus assez classique de reconstruction nationalitaire. À toutes fins utiles, la canadiennisation du Canada devient une façon d'actualiser le projet de canadianisation du pays : par le paradigme de la « multiplicitude » (une nation respectueuse de sa diversité constitutive), on espère dépasser celui des deux solitudes (deux nations coexistant l'une à côté de l'autre) en même temps que consolider la distinction canadienne face au *melting pot* américain[6]. Au Québec français, l'idée de canadiennisation est envisagée sous l'angle d'une opération d'incorporation du groupement dans une superstructure nationale repoussant toute forme d'historicité particulière — celle du Québec notamment. Elle est en conséquence rejetée. Pour les Québécois, il n'est pas question d'opter seulement pour le Canada, soit-il réformé, au détriment du Québec. Il n'est pas question non plus de délaisser la québécité au profit de la canadienneté*. Ce que recherchent les Québécois, c'est leur inscription dans le Canada à partir d'une position d'autonomisation. Ce qu'ils veulent, c'est une articulation aussi heureuse que possible entre les quatre vecteurs constitutifs de leur condition historique : l'identité collective, la liberté individuelle, la nationalité enracinée et la citoyenneté étendue.

Bien que réticent à céder sous la pression des critiques, Trudeau n'a d'autre choix, lui aussi, que de ramener son rêve à des dimensions plus réalistes. En 1978 déjà, il signe avec le gouvernement Lévesque l'entente Collen-Couture en matière d'immigration où se trouve reconnue la spécificité française du Québec. À l'époque du référendum de 1980, il s'avance davantage en parlant de rénovation du fédéralisme canadien — rappelons-nous sa formule percutante : « Un NON à la souveraineté, c'est un OUI au renouvellement du fédéralisme. » Lors de la conférence constitutionnelle de septembre 1980, il va jusqu'à reconnaître le caractère distinct du Québec à titre de seule société majoritairement francophone au sein de la fédération canadienne[7]. De même, la Constitution de 1982 inclut à son grand dam une clause dérogatoire qui permet au Parlement ou à une assemblée législative provinciale de contrevenir à l'application de certains articles contenus dans la Charte canadienne des droits et libertés[8], une disposition utilisée dès 1988 par le Québec pour se soustraire à un jugement de la Cour suprême portant sur la langue d'affichage dans la province.

Hors du théâtre médiatique, Trudeau doit par ailleurs, souvent à son corps défendant, négocier des accords avec bien des « identités particulières », y compris les Québécois, qui n'ont de cesse de se présenter au monde comme une nation politique alors même que lui ne veut pas leur reconnaître ce statut qui lui paraît inutile, rétrograde et limitatif. Qu'il le veuille ou pas, Trudeau doit composer avec la réalité de la québécité qui se consolide au lieu de s'étioler, contrairement à ce qu'il eût cru ou espéré. S'il est clair que les Québécois n'ont pas le désir de rompre avec la continuité canadienne, c'est dans la perspective d'une souveraineté grandissante du Québec, expression et garantie de leur volonté d'être et de durer, qu'ils envisagent le lien les (ré)unissant au Canada. Or, cette ambivalence des Québécois irrite Trudeau. La croisade personnelle qu'il mène contre les accords du lac Meech traduit un refus ultime d'admettre sa défaite devant la force persistante de la dualité canadienne qui, selon lui, est encouragée par l'initiative constitutionnelle inappropriée des conservateurs — véritables fossoyeurs à ses yeux du Canada régénéré par lui et par le PLC.

Canadianité perdue

Au milieu des années 1980, alors que les projets de refondation radicale de Lévesque et de Trudeau ont tous deux fait l'objet d'un rejet de la part des Québécois — ni québécisation ni canadiennisation de leur destin et de leur condition, c'est clair ! —, le paysage politique de la province est dominé par des partis, conservateur à Ottawa et libéral ou péquiste à Québec — du moins sous la houlette de Pierre Marc Johnson et son programme d'affirmation nationale —, qui cherchent à renouer avec une vision oubliée, peu connue ou marginale du pays, celle de la canadianité. Dans ce contexte, les accords du lac Meech en juin 1987 constituent la tentative par excellence de parvenir à un compromis général semblable à celui qui avait rendu possible la fondation du Canada en 1867. Il en est de même en 1992 avec les accords de Charlottetown.

Tout cela en vain. L'idée de canadianité passe mal la rampe et produit peu d'effet sur la population. Au Canada anglais, ce projet ne fait plus le poids devant le projet concurrent de canadienneté ou devant celui, vieux déjà mais considéré nécessaire par plusieurs, de la canadianisation du pays. Pour un canadianiste comme Lucien Bouchard, alors ministre important dans le cabinet Mulroney, la conjoncture est à ce point frustrante qu'elle le mène à démissionner de son poste et à prendre la direction d'un nouveau parti, le Bloc québécois, pour défendre sur la scène fédérale les intérêts spécifiques du Québec. Nous sommes en 1991.

Au Québec même, la canadianité n'a plus de sens que par rapport à la consolidation de la québécité. Par ailleurs, le projet de québécisation reste fort populaire à défaut de remporter l'adhésion de la majorité. Signalons enfin que, partout au pays, la montée des Premières Nations comme actrices politiques majeures complique singulièrement la donne. À une époque où des échecs constitutionnels nombreux donnent à bien des Québécois l'impression que le Québec est excentré dans l'ensemble canadien, les idéologues de tout acabit ont beau jeu de se poser comme meneurs de claques et d'exciter les frustrations populaires. Lorsque le Parti québécois reprend le pouvoir en 1994 avec Jacques Parizeau bien en selle comme chef depuis 1988, les humeurs sont chauffées à bloc, les horizons polarisés et les desseins de plusieurs arrêtés.

Le moment référendaire de 1995

Au milieu des années 1990, le concept de société distincte fait assurément office d'arrière-plan au paysage politique québécois. Toujours échaudés par le souvenir du rapatriement unilatéral de la Constitution en 1982, un événement désormais structurant de leur mémoire collective, une large majorité de Québécois ont non seulement le sentiment d'appartenir à une société particulière à l'intérieur du Canada, ils éprouvent également le désir que leur spécificité soit reconnue comme telle.

Pour certains, le fait que le Québec constitue une société distincte et la reconnaissance de son statut particulier n'impliquent pas de sortir du Canada. Malgré les contraintes qui lui sont inhérentes, la Fédération canadienne, comme structure de déploiement, offre encore assez de jeu politique au Québec pour lui permettre d'avancer. Mieux, par son appartenance à un grand ensemble envié dans le monde, le Québec peut bénéficier d'une position stratégique que ne lui permettrait pas une indépendance qui ferait de lui, malgré tout, un petit État secondaire, sorte d'entité marginale perdue quelque part entre les grandes puissances de la planète et les contrées sans influence du globe.

Pour d'autres, dont la raison politique est indissociable de la passion du pays à bâtir, l'idée de société distincte appartient au passé. Quant à la structure fédérative canadienne, elle a prouvé ses limites comme lieu d'épanouissement pour le Québec et les Québécois. Pis, cette structure est devenue envahissante, étouffante et contraignante. Aux yeux des partisans de la nation à parachever, ni le projet de canadianisation ou de canadiennisation du Canada mis en avant par les Canadiens (anglais), ni le projet de canadianité ou de québécité du pays apparemment préféré par les Québécois ne peuvent constituer de solutions d'avenir pour le Québec. Reste évidemment l'horizon de la québécisation, sorte de refondation collective de la nation québécoise dans la souveraineté politique, manière de concilier et de synthétiser, sans ambiguïté cette fois, la nationalité, l'identité, la citoyenneté, la modernité, l'individualité, l'universalité et tout autre potentialité réelle ou virtuelle. On se souvient de la publicité séduisante des souverainistes à l'occasion du référendum de 1995 : « OUI, et ça devient possible. »

Le théâtre du référendum

C'est dans cette atmosphère que Jacques Parizeau, emporté par son désir de clarifier une fois pour toutes la situation du Québec par rapport au Canada, entame, rapidement après son élection comme premier ministre en septembre 1994, une démarche devant mener les Québécois à se pencher pour une deuxième fois en quinze ans, par la voie d'un « référendum d'exécution », dit-il, sur leur avenir politique[1].

À l'encontre de la mémoire que l'on conserve facilement de cette période effervescente, l'entreprise référendaire de Parizeau ne surfe pas sur une vague démesurée d'enthousiasme au sein de la classe politique ou dans la population[2]. Le spectre d'une éventuelle défaite des forces du OUI, avec les conséquences fâcheuses qui vont avec, hante l'esprit de bien des Québécois, qui se rappellent le scénario décevant de 1980. Même les souverainistes les plus affichés — un Bernard Landry, un Jacques Brassard ou une Louise Beaudoin par exemple — sont hésitants devant le risque à prendre. Pour gagner à sa cause un maximum de ses concitoyens, Parizeau, à son grand regret, doit mettre de l'eau dans son vin.

Le chef du PQ et leader du camp du OUI accepte d'abord de nuancer considérablement la question qu'il aurait préféré poser aux Québécois. En fait — et Parizeau se mord la langue pour ne pas dénoncer la chose, on le sait maintenant[3] —, le libellé de cette question jette de nouveau les Québécois au cœur d'une ambivalence d'êtres et d'appartenances qui n'est pas étrangère à leur culture politique ni à leur intention nationale. Dans la formulation même de la question référendaire — « Acceptez-vous que le Québec devienne souverain, après avoir offert formellement au Canada un nouveau Partenariat économique et politique [...] » —, c'est en effet le désir avéré, ancien déjà, des

Québécois d'être avec l'Autre, mais distinctement ou séparément, qui est exprimé et reconduit. À toutes fins utiles, on demande aux Québécois d'attester de ce qu'ils n'ont jamais cessé de désirer, de réclamer et de pratiquer depuis fort longtemps, soit la double allégeance, la dualité référentielle et la recherche d'un positionnement politique optimal entre le Soi et l'Autre, l'Ici et l'ailleurs, le Nous et l'Eux. Être souverain tout en demeurant associé économiquement et politiquement avec le Canada : où est le défi ?

On a dit de la proposition référendaire qu'elle était habile. Elle l'est en effet parce qu'elle permet aux Québécois, en se prononçant sur leur avenir, d'éviter le double péril, craint par l'immense majorité d'entre eux, de se faire assimiler au sein d'un grand ensemble ou de se retrouver seuls avec Eux-mêmes. Mieux, elle leur permet de prétendre à la refondation collective dans la suite de leur expérience historique, ce qui satisfait leur désir de se transformer dans la continuité. Contrairement à ce que l'on a affirmé, on ne trouve pas dans la question référendaire une astuce pour tromper qui que ce soit. Il y a plutôt, chez ses concepteurs, reconnaissance clairvoyante de l'intention politique ambivalente des Québécois et formulation d'un libellé interrogatif qui offre à cette ambivalence l'occasion de se manifester à nouveau[4].

Mais pour ajouter aux chances de réussite de son projet, Parizeau va plus loin encore, *nolens volens*. Pressé par ses conseillers et collègues inquiets devant le plafonnement du score du OUI et la perspective d'une autre défaite, le chef souverainiste décide de s'éclipser derrière un leader perçu par la population comme étant plus réaliste et accommodant dans sa vision du Québec-Canada de même que dans sa capacité à conclure un accord avec le fédéral. Ce meneur — ancien ambassadeur du Canada à Paris et ministre influent dans le gouvernement conservateur de Brian Mulroney, mais démissionnaire de ce gouvernement à la suite de l'échec des accords du lac Meech — est nul autre que Lucien Bouchard, chef et président du Bloc québécois. Rapidement, la décision de Parizeau rapporte. Dès la confirmation de Bouchard au titre de négociateur en chef de l'entente de partenariat prévue avec le Canada, ce qui le propulse au rang de porte-parole principal du camp du OUI, les sondages indiquent une remontée des intentions de vote en faveur de cette option. Nous sommes au début du mois d'octobre 1995 et la conjoncture semble enfin sourire aux souverainistes. À n'en pas douter, le courant passe entre la population et le représentant des intérêts du Québec à Ottawa…

Bouchard plaît aux Québécois parce que, tout en ne tarissant pas de passion pour la cause du Québec, il incarne l'image du réformiste raisonnable, du fin négociateur et du politicien responsable[5]. Or, cette réputation d'arbitre judicieux, de stratège pragmatique et de directeur éclairé est ce qui compte le plus aux yeux des Québécois. Ceux-ci, en effet, voient chez Bouchard un homme capable de composer avec la situation complexe d'une négociation avec le Canada, dans la perspective de l'établissement d'un partenariat économique et politique avec cet autre et même pays. Ils le croient également en mesure d'obtenir, dans le contexte d'un rapport de force tendu, éventuellement difficile, avec l'autre partie, une bonne entente avec le gouvernement fédéral, soit une entente qui situerait le Québec dans un état d'interdépendance soutenue mais flexible avec le Canada. Au fond, ce que les Québécois espèrent de Bouchard, leader énergique capable d'incarner les aspirations de la nation qu'il évoque dans ses discours et représente par sa personne, c'est qu'il les mène à une nouvelle entente confédérale avec le Canada. Que Mario Dumont, chef de l'ADQ, participe à la « coalition pour le changement » ne fait qu'ajouter au réalisme d'un tel scénario modérantiste qui ouvre au réaménagement structurel du fédéralisme canadien.

Évidemment, les Québécois font confiance à Bouchard sous réserve d'apprécier le rythme et la bonne foi de ses attitudes et de son approche. Dans la perspective d'une victoire du OUI et de négociations conséquentes avec le Canada, le projet de loi sur l'avenir du Québec prévoit en effet la mise sur pied d'un comité d'orientation et de surveillance des pourparlers avec le « nouveau pays voisin », comité formé de personnalités notoires et respectées. Certes, on n'envisage pas que les Québécois puissent sanctionner directement la qualité des échanges entre les parties. Mais l'esprit de la loi vise la transparence. À n'en pas douter, un bris de confiance entre Bouchard et la population ébranlerait considérablement la démarche souverainiste quant à sa légitimité. Advenant pareille situation, il est clair que le projet d'une éventuelle Constitution québécoise, que la population devait entériner à la suite d'une nouvelle consultation, aurait été possiblement refusé ou contesté par les intéressés, faute de s'appuyer sur une conduite acceptable de la part de ses représentants à la table des négociations. Selon l'évolution des choses, les Québécois gardaient donc le droit de confirmer ou de réviser leur premier choix qui, dans les circonstances, ne faisait pas office de décision finale et absolue, mais seulement d'ouverture dans le déroulement d'une partie que l'on anticipait fort longue.

À une population habitée par la défiance, soucieuse de mesure et désireuse de ne rien perdre ou de gagner sur tous les plans, pouvait-on offrir meilleure garantie et latitude plus grande pour qu'elle accorde sa chance au coureur souverainiste ?

Interpréter le résultat du vote

Au terme d'une campagne référendaire émotive où les parties en lice ne font pas dans la dentelle, la consultation populaire a finalement lieu le 30 octobre 1995, dans la sérénité générale mais avec une certaine angoisse, voire une appréhension réelle chez plusieurs, devant le verdict à venir. Comme pour ajouter au caractère dramatique du moment, les résultats du vote sont serrés à souhait, fédéralistes et souverainistes terminant la course presque nez à nez. De fait, sur un total de plus de 4,7 millions de bulletins compilés pour 5 millions d'inscrits, l'écart entre le OUI et le NON est de moins de 55 000 votes[6] en faveur de cette dernière option.

Dans le camp du OUI, on se réjouit évidemment (Parizeau excepté !) du fait que la cause de la souveraineté, malgré la défaite référendaire, a singulièrement progressé chez les Québécois. Les chiffres n'indiquent-ils pas que près de la moitié d'entre eux appuient désormais le projet souverainiste de leur voix ? *A posteriori,* ce diagnostic paraît toutefois rapide, voire présomptueux. Il est clair en effet que l'ambiguïté de la question et la confiance affichée par la population à l'endroit de Lucien Bouchard comme grand capitaine du Québec ont joué un rôle déterminant dans l'ampleur du vote favorable à l'option souverainiste. À tel point qu'il serait sans doute plus juste d'inverser la perception positive que l'on garde du résultat du référendum de 1995 en ce qui a trait aux avancées de l'idée d'indépendance parmi la population.

Avec un timonier avisé et rassurant à la barre du Québec, une question au libellé prudent et une banalisation des conséquences d'un vote pour la souveraineté, on s'étonne en effet que *seulement* la moitié des Québécois aient accepté d'appuyer un projet visant la concrétisation de l'ambition d'interdépendance qui à l'évidence les animait. Si la question posée les avait placés devant un choix plus tranché, du genre égalité ou indépendance, il est probable que le camp du OUI n'aurait pas recueilli autant de votes. De même, si un inconditionnel de la sécession — par exemple Jacques Parizeau — était demeuré à la tête du mouvement pour la souveraineté, il est possible de croire que l'opération référendaire se serait soldée par un échec retentissant. En fait, à l'encontre du constat que l'on établit habituellement, le résultat du référendum de 1995 témoigne bien davantage du désir des Québécois de rester liés au Canada, mais sur un mode particulier, qu'il ne rend compte de leur dessein de s'en détacher.

S'il en eût été autrement, on peut d'ailleurs penser que des troubles découlant de la frustration éprouvée par certains de voir leur cause battue par des poussières de vote seraient survenus dans la Cité. Or il n'en fut rien. Certes, on maugréa contre les dépenses non autorisées du gouvernement fédéral et de certains groupes d'intérêt en faveur de l'option du NON. On s'étonna aussi qu'un grand nombre d'immigrants vivant au Québec — et qui étaient apparemment favorables au NON — aient obtenu en octobre 1995, soit juste avant le vote référendaire, leur certificat de citoyenneté canadienne. On déplora enfin que certaines personnes (56 000 au total, selon l'enquête menée par le directeur général des élections au Québec) aient voté sans en avoir le droit. Malgré l'importance et le caractère gênant ou fâcheux de ces faits, ni violence ni agitation particulières n'éclatèrent ou ne soulevèrent les masses.

Peu de temps après la tenue du référendum, la vie politique québécoise avait repris son cours tranquille, animée comme d'habitude par le bruit de fond des mouches souverainistes ou fédéralistes s'attaquant mutuellement. Bon gré mal gré, on semblait s'accommoder de la situation pratiquement inchangée entre le Québec et le Canada, en tout cas sur le plan constitutionnel, d'autant plus que la prospérité économique était au rendez-vous et que la position de Montréal s'améliorait comme pôle de croissance au pays et en Amérique du Nord. Pour une majorité de Québécois, le moment référendaire avait été une façon de témoigner à nouveau, avec force rhétorique et dans le cadre d'une extraordinaire démonstration politico-médiatique, de leur volonté inébranlable de trouver avec l'Autre un mode de cohabitation qui respecte l'autonomie du Soi sans l'entraîner vers l'isolement ou l'excentration et qui ne favorise pas non plus une rupture de liens avec son partenaire. De même, le résultat du référendum avait révélé un intérêt réel des Québécois à l'endroit d'un éventuel projet de refondation collective, mais pas à n'importe quel prix. Le cas échéant, cette refondation serait graduelle et nécessiterait, à chacune de ses phases d'avancement, l'approbation formelle de la population. Surtout, elle n'entraînerait pas de discontinuité radicale ou de séparation majeure avec l'expérience passée. La consultation référendaire avait au fond montré que les Québécois souhaitaient moins la souveraineté que l'aménagement du régime fédéral dans le sens de sa plus grande ouverture aux spécificités québécoises.

Au total, et au grand dam de ses initiateurs sans doute, l'opération référendaire rendait compte avant tout du refus, par la majorité réformiste et modérée des Québécois, d'une mouvance qui cherchait à l'entraîner hors de son espace politique de (p)référence. Si bien que le résultat du référendum de 1995 n'a pas valeur de défaite ou de victoire pour les souverainistes non plus que pour les fédéralistes. Ce résultat doit être interprété comme une réaffirmation claire et nette, de la part des Québécois, de leur volonté de collaborer sans s'intégrer, de leur désir de s'autonomiser sans se séparer, de leur détermination à se refonder dans la continuité, et de leur ambition à consolider leur destinée dans la régénération de leurs liens équivoques et multiples avec l'Autre. On est ici au cœur et non pas en deçà ou au-delà de l'intention politique et de l'affirmation nationale des Québécois, lesquelles s'appuient sur l'ambivalence comme mode d'êtres, comme forme du devenir et comme lieu de l'évolution collective.

Digression comparative

À cet égard, il paraît intéressant d'établir un parallèle entre la conjoncture des années 1990 et celle des années 1830. Dans l'histoire québécoise, ces décennies sont en effet présentées comme deux moments au cours desquels les habitants du Québec ont exprimé résolument leur volonté de rompre avec la dynamique générale de leur histoire collective. Au dire de plusieurs analystes, ce qui est en jeu dans les années 1990, comme du reste dans les années 1830, c'est le désir manifeste d'une société de se réaliser dans l'indépendance nationale et de sortir radicalement de l'horizon de ses dualités paradoxales, c'est-à-dire de se refonder hors de l'orbite de ses « empêchements » collectifs. Cette vision des choses est assurément séduisante. S'agit-il pour autant d'une lecture juste de l'histoire ?

Il appert que non. Pour ce qui est des années 1830, on a vu à quel point le sentiment répandu d'insatisfaction, présent dans bien des classes de la population et chez une majorité de résidents de la colonie, était principalement dirigé contre les vices du régime colonial de même que contre la clique de bureaucrates coloniaux qui, par l'exercice d'un pouvoir discrétionnaire, pesaient lourd sur le devenir de la société bas-canadienne en plus d'interférer avec les décisions des élus locaux. Ce qui, en clair, irritait la population au point de la braquer, c'était moins le régime colonial lui-même, perçu comme une structure évolutive, aménageable et réformable jusqu'à la mutation, que son fonctionnement pervers découlant d'une administration injuste, abusive et déshonorante, exercée par des fonctionnaires partiaux, iniques, incompétents ou véreux qui méritaient rien moins qu'un désaveu formel.

Certes, il se trouvait parmi les protestataires des éléments plus ou moins radicaux dont les intentions politiques, voire le programme tout court, étaient nettement inspirés par l'idée d'une refondation républicaine de la nation de même que, dans certains cas, par celle d'une sécession du Bas-Canada d'avec la Grande-Bretagne. Sauf exception, ces radicaux s'exprimaient par la voix du Parti patriote, une formation politique largement soutenue par la population. Mais, tout en appuyant ce parti qui canalisait leur mécontentement et leurs espoirs, la majorité des habitants du Bas-Canada hésitaient à se lancer dans l'aventure républicaine. De même, aller au bout du principe de nationalité jusqu'à l'indépendance les laissait songeurs. Bien que désireux de voir les choses évoluer, les Bas-Canadiens cherchaient avant tout, en misant sur des aménagements politiques à l'intérieur du système de gouvernement en place et sur une réforme constitutionnelle toujours possible du régime colonial, une voie qui leur permettrait d'accroître leur représentation dans la structure du pouvoir, au point d'obtenir la responsabilité ministérielle. En pratique, les Bas-Canadiens désiraient se doter d'institutions qui modifieraient la nature du cadre et du lien colonial, dans le sens du *self-government* assurément, mais sans qu'une révolution soit nécessaire pour y parvenir.

Pareille attitude n'étonnera pas : la population bas-canadienne était en effet acclimatée au parlementarisme britannique, un régime qu'elle avait apprivoisé et au sein duquel elle entrevoyait son devenir. En fait, ce qui hérissait les leaders d'opinion du Bas-Canada et qu'ils dénonçaient presque unanimement, c'était l'irrespect flagrant dont faisaient preuve les Britanniques à l'endroit d'un système politique et de lois qu'ils avaient le devoir d'appliquer et de respecter, car, après tout, c'était « les leurs comme incarnation de leurs idéaux et de leur sagesse ». Réaliste et légitime, la position des Bas-Canadiens était d'ailleurs entendue et appuyée à Londres par quelques parlementaires de renom, notamment Daniel O'Connell et le philosophe John Stuart Mill. Elle l'était, précisons-le, non pour des motifs de compassion idéologique, mais parce qu'elle se situait dans la continuité et l'esprit de l'histoire politique anglaise[7].

Bien que régulièrement déboutés dans leur quête de justice et leur volonté de changement, les Canadiens du Bas-Canada, animés par la raison politique de l'accommodement et du compromis, n'abandonnèrent jamais la carte réformiste pour trouver, en tant que société distincte ou nationalité à l'intérieur de l'ensemble britannique, un *modus vivendi* à leur convenance. Même après la publication officielle des Résolutions Russell, en mars 1837, les Canadiens, déçus et se sentant plus que jamais brimés et bafoués dans leurs désirs de changement, se gardèrent de jeter la serviette constitutionnelle. Le raidissement de leurs positions, important sur le plan politique, ne visait nullement à s'exiler de l'Empire. Leur choix majoritaire n'avait pas non plus pour but de modifier la donne historique par la révolution afin de constituer une république indépendante. Certes, il y eut des insurrections, apparemment dans l'intention d'orchestrer une rupture de liens avec Londres et de sortir la nation des « limbes du politique ». Mais, dirigés par une minorité de convaincus improvisant leur révolte et accueillant au sein de leurs rangs des « rebelles » aux aspirations fort diverses, ces soulèvements doivent être vus comme un accident, la manifestation d'un dérapage par rapport à un mouvement social et à une intention politique aux ressorts et aux finalités d'abord réformistes et pragmatiques, limités et conciliants plutôt que bellicistes et révolutionnaires.

À n'en pas douter, c'était bien une société politique qui, dans les années 1830, entendait être et s'exprimer. Mais la forme concrète dans laquelle se déploierait et s'édifierait cette société restait à déterminer, voire à inventer. En raison de l'atmosphère politique prévalant dans la colonie à l'époque, le pragmatisme et l'interdépendance en formeraient toutefois les piliers, la polyvalence en serait la structure centrale, la négociation et le compromis constitueraient les principes essentiels de son architectonique. Si la mouvance américaine inspirait assurément la démarche des Patriotes, la situation irlandaise, telle que l'enseignaient le passé aussi bien que l'actualité, leur rappelait aussi que toute révolution n'était pas victorieuse et que le radicalisme engendrait parfois le pire.

La conjoncture des années 1990

Sauf en ce qui touche aux actes de sédition et à leur répression violente, c'est une situation assez semblable que l'on retrouve au Québec dans les années 1990. À cette époque, l'humeur sociétale est en effet marquée par la déception, l'impatience ou l'amertume. Dans l'ensemble, la population témoigne d'une insatisfaction sourde et diffuse, ou d'une exaspération acerbe et orientée, à l'endroit du Canada anglais, du régime fédéral et des « Autres » en général. Ce désenchantement est lié au sentiment que le Québec, à la suite de l'échec des accords du lac Meech, est abandonné, exclu, diminué, méprisé et trompé — bref provincialisé. Il tient également à l'impression selon laquelle les fédéraux outrepassent, grâce à leur pouvoir immodéré de dépenser, leurs champs de compétence constitutionnelle. Ce faisant, ils compromettent des initiatives locales, bouleversent des programmes centrés sur les besoins du milieu, érodent le pouvoir décisionnel des élus de l'Assemblée nationale et sapent la capacité démontrée de ces derniers d'orienter le destin de la société québécoise. Or, pour un grand nombre de Québécois, ces irritants ne sont pas légers, ils sont même majeurs, car ils contrarient une espèce d'idéal communautaire — sorte d'« entre-nous » mythique — fortement enraciné dans l'imaginaire collectif.

Aux yeux des citoyens désappointés, qui n'ont de cesse d'exprimer leur déconvenue ou leur désillusion, le Québec est non seulement, au début des années 1990, victime d'une mise à l'écart grossière, mais il subit aussi les affres d'une gouvernance extérieure inappropriée qui diminue sa capacité d'autonomie et compromet ses chances de développement différencié. Pour une majorité de Québécois, l'échec de Meech met à mal la possibilité de maintenir une tension acceptable et recherchée entre le projet de québécité et le projet de canadiennisation, ce qui fait que l'équilibre inhérent au contraste canadien est rompu. À toutes fins utiles, pour ces désenchantés, la collectivité québécoise est, après Meech, poussée hors du chenal de son historicité familière et appréciée, du côté des périls qu'elle redoute : à bâbord comme à tribord, les écueils de l'intégration et de l'excentration sont en vue ; par devant, la possibilité d'une refondation est assombrie alors que, par derrière, la virtualité d'une continuation sécurisante des choses est écartée. Bref, la conjoncture est fâcheuse et les augures mauvais.

Suintant par tous les pores de la société québécoise au début de la décennie, le désir de « changement » — un terme aussi flou que consensuel — tient d'abord à la volonté populaire de contrer ou de repousser l'ensemble des menaces apparentes ou réelles auxquelles le Québec fait alors face au sein du Canada. La déclaration spectaculaire que prononce Robert Bourassa au moment où il devient clair pour tout le monde que les accords du lac Meech seront rejetés par le « Canada anglais » marque le point de départ d'une offensive des Québécois pour se réinstaller dans leur espace politique de (p)référence[8]. Or, en dépit de ses allures déterminées et fermement orientées, cette offensive, scandée par la publication coup sur coup en 1991 du rapport Allaire et du rapport Bélanger-Campeau, est animée par une volonté d'entente et de conciliation bien plus que par une envie de rupture et de scission.

Certes, il se trouve un grand nombre d'indépendantistes qui, évoluant au sein du Parti québécois et l'influençant beaucoup pendant le gouvernement de Jacques Parizeau, souhaitent la sécession pure et simple du Québec et la refondation radicale de cette société dans sa déconnection d'avec le Canada. La québécisation du devenir québécois est clairement ce que recherchent ces souverainistes inconditionnels. Pourtant, leur point de vue ne fait pas boule de neige. Bien que fort présents dans l'espace médiatique, les chantres de l'indépendance du Québec sont loin de former la majorité de la population. À vrai dire, ils ne dominent même pas la conjoncture politique. Au contraire, les années qui vont de 1990 à 1995 rendent compte d'un phénomène sourd mais puissant au sein de la société québécoise : celui de la réappropriation graduelle et tranquille, par la majorité réformiste et modérée du Québec, du projet souverainiste tel que formulé et porté par ses adeptes les plus zélés. Or, cette réappropriation du projet souverainiste par les plus tempérés, qu'ils soient péquistes ou pas, donne lieu à un adoucissement considérable de ses objectifs et de sa portée. À la suite du réaménagement que lui imposent la masse des Québécois, le projet souverainiste vise en effet, surtout et paradoxalement, à renégocier la place du Québec au sein de la Fédération, de façon à rétablir la collectivité québécoise au cœur du pays(age) canadien. Tel que reformulé par la majorité, ce projet ambitionne également de rapatrier au Québec tous les pouvoirs qui, accaparés ou assumés par une autorité « extérieure », nuisent à sa capacité de se construire dans sa spécificité partenariale, c'est-à-dire avec l'Autre, mais distinctement, voire différemment, de Lui.

En fait, durant la période qui va de 1990 à 1995, alors que toute la société, dit-on, est enfiévrée par l'idée de souveraineté, qui aboutit à l'élection du PQ en 1994, le projet de québécisation du Québec prôné par la minorité indépendantiste est franchement ramené dans la perspective du projet de québécité préféré par la majorité des Québécois. Si ces derniers ne veulent rien savoir des deux projets qui, dans les antichambres d'Ottawa ou ailleurs au Canada, font office de programmes d'avenir pour le pays (la canadianisation ou la canadiennisation du Canada), ils rejettent tout autant le projet de refondation radicale du Québec préconisé par les indépendantistes. Ce que désirent au fond la majorité des Québécois, c'est construire le Québec dans l'interdépendance canadienne, façon d'actualiser la situation du pays dans la continuité et l'esprit politiques de cet ensemble dissonant.

Durant les années 1990, il est donc faux de prétendre que le Québec se retrouve aux portes d'une époque où ses représentations, ses concepts, ses liens et ses lieux d'êtres antérieurs sont contestés, niés ou dissous. Les idées de souveraineté, de partenariat, de nation civique et d'identité historique, qui balisent alors fortement le débat public et qui n'ont pas décliné depuis dans la délibération collective, constituent autant de moyens de régénérer la problématique du groupement dans le cadre des quatre pôles de son historicité : l'autonomisation, la collaboration, la refondation et la continuation.

De la québécité sans dérive québéciste poussée jusqu'à la québécisation : telle est la préférence exprimée et recherchée par les Québécois au moment où s'achève le XXe siècle et que se lève le suivant.

Les onze dernières années

Depuis le référendum de 1995, les Québécois sont restés très fidèles à la dynamique de leur historicité particulière. Ils n'ont eu de cesse, par rapport à l'Autre (le Canada) et par rapport à Eux-mêmes (le Québec), de chercher satisfaction dans une dialectique du détachement et du rattachement dont la synthèse, paradoxale, a pris la forme d'une intention nationale aux instants et aux instincts fortement marqués par le pragmatisme.

Détachement

Ainsi, malgré les efforts déployés par l'appareil idéologique du fédéral pour convaincre les Québécois de la présence effective du Canada dans leur vie quotidienne et de son importance pour leur épanouissement collectif, ces derniers n'ont pas adhéré à l'idéal canadien. La voie suivie par Jean Chrétien et son successeur Paul Martin pour rallier les Québécois au projet de canadiennisation du pays, ou, plus modestement, pour leur rappeler la part canadienne en eux, a échoué. Le programme des commandites, qui n'a été que l'une des formes de l'opération extraordinaire de séduction du gouvernement fédéral pour rétablir sa prééminence dans la régulation du pays et pour reprendre une place acceptable dans l'espace public et l'imaginaire québécois, a produit des effets contraires à ceux qui étaient escomptés. La gestion scandaleuse et malhonnête de ce programme a non seulement sali l'image du gouvernement fédéral au Québec — et celle du PLC encore plus, comme en atteste le résultat des élections de janvier 2006 —, elle a également facilité le travail idéologique de ceux qui, dans la cité québécoise, noircissent la cause du fédéralisme en s'attachant à dénoncer ses excès ou ses lacunes. Or, les conséquences de cette situation ont été ravageuses pour les ténors du Canada au Québec.

À l'heure actuelle, il ne se trouve en effet qu'une minorité de Québécois disposés à faire preuve d'une allégeance forte et franche à l'endroit de l'unifolié. Si l'on peut penser qu'une majorité de Québécois ne rejettent pas le Canada, rares sont ceux qui témoignent d'un patriotisme fervent pour le pays. Au sein de l'agora québécoise, les supporteurs de la souveraineté imposent allègrement leur voix à défaut de prescrire leur voie : ce sont eux qui définissent les termes du débat public, et c'est à partir de leurs postulats que la question du Québec est le plus souvent posée. Hormis quelques intervenants connus dont l'affiliation politique est indubitable, les fédéralistes ne participent plus aux discussions ou ne le font que de manière discrète. Quand ils s'expriment sur les grandes tribunes, ils sont d'ailleurs parfois affublés d'étiquettes qui frappent les imaginations et discréditent leurs positions. Dans le Québec d'aujourd'hui, il est vilain de s'identifier au Canada, de s'afficher comme fédéraliste ou d'être seulement critique du nationalisme. La rhétorique anti-fédéraliste est à ce point forte qu'elle gruge rapidement les figures canadiennes, celles du passé en tout cas, qui jusqu'à récemment formaient quelques-uns des piliers centraux sur lesquels s'élevait l'imaginaire québécois. Quant aux nouvelles figures, elles sont allègrement dépeintes sous un angle négatif et associées au *nation building* canadien. Trois effets majeurs découlent de cette situation :

— les Québécois, particulièrement les jeunes francophones, n'ont aucune vision particulière du Canada ; le cas échéant, cette vision est négative, vaguement positive ou neutre ; doucement, leur rapport au Canada s'affadit, ils ne savent plus nommer le pays de leurs ancêtres ni s'y référer[1]. C'est ce qui fait dire à certains analystes que l'indépendance du Québec est comme inscrite objectivement, presque naturellement, dans la succession des générations[2] ;

— inspirés ou fournis en idées, en formulations et en mythistoires par le discours le plus audible et le plus consistant au Québec, celui des nationalistes, les « néo-Québécois », de deuxième génération surtout, se retrouvent dans une condition à peu près similaire à celle des autres Québécois : ils perdent tranquillement le sens du Canada et développent un rapport plutôt instrumental à *ce* pays dont ils utilisent fonctionnellement la citoyenneté et certaines références, mais envers lequel ils n'éprouvent pas de sentiment patriotique intense, reportant plutôt leur attachement sur le Québec ou sur la cité cosmopolite de Montréal[3] ;

— quant aux Anglo-Québécois, hier les plus fiers porteurs de l'identité canadienne, ils sont aujourd'hui dans une situation qui fait en sorte que leur voix patriotique s'est tue, en dépit de leur forte allégeance canadienne. La déconfiture d'Alliance-Québec, abandonnée par ses bailleurs de fonds fédéraux et désertée par ses membres en rupture de ban avec l'orientation radicale de la coalition, est d'ailleurs symptomatique de la révolution tranquille connue par la communauté anglophone du Québec au chapitre de ses appartenances identitaires[4].

De manière générale, la cause canadienne et la cause fédéraliste, qui sont souvent confondues ou appariées dans l'esprit populaire, n'obtiennent plus au Québec la faveur des gens, mais seulement leur réserve. Dans ce contexte, on peut dire qu'il sera assez difficile, mais pas impossible, aux partisans du Canada de remonter la pente de l'opinion publique québécoise. L'identité des Québécois est en effet clairement et plus que jamais québécoise. Si elle est aussi canadienne, ce n'est qu'en second lieu, de manière résiduaire ou par défaut, selon le contexte. De nos jours, bien peu de Québécois considèrent qu'il existe un rapport nécessaire ou organique entre la construction du Canada et la consolidation du Québec. Les canadianistes ou canadiennistes ont à coup sûr perdu la bataille idéologique et symbolique du Québec aux mains des québécistes, voire des québécisants dans plusieurs dossiers[5]. Bâtir le Canada, le défendre ou lui vouer fidélité est un programme qui n'a pratiquement pas de résonance dans la province. C'est en effet dans la perspective des seuls intérêts du Québec que la question du Canada est maintenant posée.

Pour le moment, la lutte argumentative entre les parties

s'effectue sur le terrain économique. La répartition des recettes fiscales globales, le système de péréquation et la question des finances publiques sont au cœur des échanges souvent acerbes entre les acteurs qui se regroupent ordinairement en deux camps opposés et (re)tranchés pour polémiquer : les souverainistes d'un côté, et les fédéralistes (ou les non-souverainistes) de l'autre.

Si l'on s'en tient aux débats en cours, il faut admettre que les positions des souverainistes, présentées sous les atours d'un grand projet de société libérateur, affriandent bien des électeurs qui n'attendent apparemment qu'un leader majeur pour relancer leur ardeur. La formule éprouvée, « OUI, et ça devient possible », continue en effet de faire rêver beaucoup de Québécois, les jeunes surtout, qui voient dans l'indépendance le moyen de cristalliser certains idéaux qu'ils chérissent, celui de la révolution verte en particulier. Quant aux positions des fédéralistes, souvent alambiquées ou cachottières et procédant d'un credo vieilli ou d'un argumentaire simplement enjôleur, elles séduisent moins, discréditées par les surplus financiers considérables du gouvernement central. On se demande si l'élection récente du Parti conservateur, dont le chef est porteur d'une conception plus souple de la gouvernance nationale, amènera les Québécois à changer de point de vue à propos du fédéralisme canadien. À vrai dire, nulle prédiction n'est ici assurée, malgré l'attraction que Stephen Harper semble exercer sur l'électorat de la province. Il existe chez les Québécois un tel fonds de sympathie pour la cause du Québec que bien peu d'idées sont reçues ou acceptées qui ne confirment le poncif voulant qu'aucune collaboration de longue durée ne soit vraiment possible entre les deux capitales nationales. En fait, tant qu'un parti fédéral est réceptif à la situation québécoise ou le laisse croire, il connaît du succès dans la province ; dès lors qu'il se ferme à cette donne — ou que l'on prétend qu'il se raidit devant les demandes québécoises —, la nation monte au front.

(R)attachement

Pourtant, on aurait tort de penser que la majorité des Québécois veulent se dissocier de l'ensemble canadien. Si ces derniers n'entendent pas aujourd'hui plus qu'hier se fondre dans un tout ou y être incorporés, ils n'ont pas davantage le désir de se faire marginaliser au sein de grandes unités ou de se retrouver dans une position d'excentration quelconque face à de vastes entités, que ce soit le Canada, les États-Unis ou l'Amérique du Nord. C'est dans ce contexte particulier, celui d'un évitement simultané de l'intégration et de la mise à l'écart, qu'il faut comprendre les pratiques politiques courantes — paradoxales — des Québécois. Par exemple, celle qui consiste à soutenir un parti souverainiste à Ottawa (le BQ) et à préférer un parti fédéraliste à Québec (le PLQ) ; ou celle qui veut que, lorsque le PQ est porté au pouvoir à l'Assemblée nationale, il n'ait pas la légitimité de réaliser l'indépendance, mais seulement le mandat de gouverner dans l'intérêt de la masse ; ou celle qui consiste à élire à Québec un parti fédéraliste en l'enjoignant de se comporter comme un parti nationaliste, alors même que le contraire est exigé du PQ — jouer le jeu du fédéralisme ; ou celle qui veut que le Bloc québécois, formation pourtant prosouverainiste, n'ait d'autre rôle à la

Chambre des communes que de promouvoir les intérêts du Québec dans le cadre du fédéralisme canadien et d'exprimer la voix québécoise à l'intérieur de ce régime ; ou celle qui consiste à appuyer la souveraineté dans l'optique d'un partenariat et le partenariat dans la perspective d'une souveraineté partagée ; ou celle qui tend à soutenir un parti fédéraliste dans la mesure où il est réceptif aux revendications des nationalistes et à accorder son appui à un parti nationaliste uniquement s'il est ouvert au renouvellement du fédéralisme. On pourrait en ajouter.

À l'évidence, les Québécois sont foncièrement réticents à se départir de la carte canadienne qui appartient à leur mise originelle, qui les a parfois desservis mais leur a aussi profité, qui n'a pas valeur d'as ni de deux de trèfle, qui complique singulièrement leur jeu mais ajoute également aux possibilités de leur main. Rejeter la feuille d'érable en risquant, au moment de la distribution de nouvelles cartes, de n'obtenir aucune valeur équivalente, tel est le péril que craignent les Québécois. Or, la plupart d'entre eux n'ont jamais voulu parier quitte ou double sur leur devenir, forcer le jeu en s'exposant à perdre gros ou tout miser sur un seul coup. Les Québécois ont toujours préféré user d'une stratégie d'opportunisme circonstanciel et de construction patiente et composite de leur main, en bluffant parfois (souvenons-nous de la motion Francœur, en décembre 1917, et de l'hypothèse d'un État français chez Lionel Groulx, dans les années 1930), mais pas trop. Ils ont toujours cherché à se doter d'un beau jeu constitué de cartes multiples aux combinaisons surprenantes, en sachant très bien que les flushs royals sont rarissimes et que l'on peut souvent ramasser la levée avec un seul atout, même de faible valeur.

Dans ce contexte, on ne s'étonnera pas de savoir que le projet politique qui a la vie la plus dure au Québec n'est pas celui de la souveraineté, mais plutôt celui qui promet ou qui promeut un accommodement honorable de la cause québécoise à l'intérieur de la fédération canadienne[6]. En fait, l'attitude des Québécois envers le Canada reste aussi louvoyante maintenant qu'elle l'était avant. On en veut pour preuve leur réaction à la promulgation, par le Parlement fédéral en juin 2000, de la *Loi de clarification.*

En principe, la sanction de ce *bill* dénoncé comme outrageant par l'ensemble des nationalistes et par plusieurs Québécois de toutes tendances aurait dû entraîner une forte et persistante mobilisation populaire contre la décision des députés fédéraux de réglementer, en le limitant, le droit des Québécois à déterminer leur avenir. Or il n'en fut rien. Alors premier ministre du Québec, Lucien Bouchard, dépité par le mutisme de ses concitoyens à l'égard du « nouveau coup de force d'Ottawa », exprima d'ailleurs ouvertement sa contrariété et sa déception[7]. Bien que répétées, ses harangues entraînèrent peu d'écho dans la population. Selon certains, l'impassibilité des Québécois à l'endroit de la loi sur la clarté aurait d'ailleurs compté parmi les motifs à l'origine de la démission de Bouchard comme chef du PQ et premier ministre à l'hiver 2001. Fait plus « troublant », les Québécois ne se gênèrent pas pour élire, à la première occasion qui leur fut donnée et à hauteur de 46 % des suffrages exprimés, un gouvernement libéral très fédéraliste aux élections d'avril 2003, gouvernement issu d'un parti ayant appuyé du bout des lèvres la loi, diluée par rapport à son énoncé initial, sur l'exercice des droits fondamentaux et des prérogatives du peuple québécois et de l'État du Québec (loi n° 99).

Comment expliquer l'apparente désinvolture des Québécois à propos d'un *bill* allant carrément à l'encontre de leur liberté collective de choisir leur avenir ?

On pourrait bien sûr prétendre que le dossier de la loi sur la clarté était trop abstrait pour la masse des gens et que, pour cette raison, ils l'ont rapidement balayé de leur champ d'entendement politique, indifférents à ses tenants et aboutissants. Évidemment, cette thèse repose sur une prémisse méprisante pour les Québécois selon laquelle leur ineptie serait la cause de leur détachement, argument qui ne paraît pas crédible au vu de l'histoire et qui, surtout, reprend la vieille théorie — servie à souhait par bien des souverainistes en mal d'analyse — du « masochisme incurable » dont serait atteint le corps collectif québécois ! On pourrait également arguer de la fatigue réputée des (des)intéressés quant à leur possible avenir, mais ce diagnostic, allégué *ad nauseam* par les fédéralistes, notamment par Jean Chrétien et ses acolytes au moment où ils exerçaient le pouvoir, laisse complètement incrédule. On pourrait encore suggérer que les Québécois sont restés placides devant C-20 parce que, pour eux, le politique détermine le droit et non l'inverse, ce qui fait qu'à leurs yeux aucune loi ne peut avoir préséance sur la souveraineté du peuple — inutile, en conséquence, de s'énerver pour « un bout de papier rouge » ! Or, s'il est vrai de dire que plusieurs observateurs ont fait valoir cet argument, les plus informés se sont empressés de le nuancer, sinon de le désavouer.

Pour expliquer l'impavidité des Québécois à l'endroit du *Clarity bill*, on pourrait invoquer, dans un autre registre, le caractère « rassurant » de l'avis donné par la Cour suprême du Canada relativement au processus de sécession envisageable à l'intérieur de la fédération canadienne[8]. Au dire de certains, le refus du plus haut tribunal du pays de déclarer l'acte de se séparer du Canada illégitime ou irrecevable aurait en effet calmé ou satisfait ceux qui s'attendaient, de la part d'« une magistrature penchant toujours du même bord », à une réaction défavorable aux éventuelles intentions des Québécois. Or, comme la loi de la clarification s'appuie sur l'avis de la Cour suprême et s'y conforme, les Québécois en auraient déduit qu'il ne valait pas la peine de s'échiner contre un *bill* à prétention certes limitative mais à portée finalement limitée, en ce qu'il maintenait ouverte une porte que le gouvernement du Canada voulait absolument fermer. Là encore, cette interprétation ne convainc pas entièrement, bien qu'elle marque une avancée dans la compréhension des choses.

Une autre explication, digne d'intérêt parce qu'elle renvoie aux dualités paradoxales du groupement ou de la nation, mérite d'être convoquée au dossier de l'indifférence relative des Québécois à l'endroit de C-20. Elle insiste sur le fait que ces derniers n'ont pas réagi vivement à la loi sur la clarté parce que, au fond, ils n'ont pas le désir que leur appui réel ou éventuel au projet souverainiste soit interprété comme un consentement de leur part à la réalisation effective de la souveraineté ! En fait, non seulement les Québécois ne veulent pas, le cas échéant, que leur sortie du Canada soit une chose facile, mais ils sont à l'aise avec le dessein qu'ont les autres Canadiens de les retenir jusqu'aux limites du possible, y compris par des moyens légaux. Paradoxale en apparence, cette attitude traduit pourtant une réalité limpide et coutumière : c'est dans le cadre de leur présence maintenue au sein de l'ensemble canadien que la majorité des Québécois veulent établir leur distance par rapport à ce pays, qu'ils ambitionnent d'y définir leur spécificité et qu'ils entendent y construire leur autonomie.

Dans ce contexte, la loi de clarification n'apparaît ni odieuse ni répressive aux Québécois, mais tranquillisante sur bien des plans, ce qui explique leur quiétude à son égard. Cette loi s'accorde en effet avec leur intention politique d'évoluer avec le Canada, voire de rester partie prenante de cet ensemble, mais sans y être forcés ni contraints dans l'absolu. Elle rejoint également leur attente qui veut que, entre l'expression d'une intention politique, par exemple le désir de souveraineté, et sa conséquence logique, dans ce cas l'enclenchement du processus sécessionniste, il n'y ait pas de suite automatique, irréversible ou irrévocable — on le sait, les Québécois abhorrent la perspective du point final et celle des corridors étroits. La loi sur la clarté n'incommode pas outre mesure les Québécois parce que, enfin, elle va dans le sens du sentiment majoritaire selon lequel le simple refus d'adhérer au projet canadien, quel qu'il soit, n'est pas une condition suffisante pour entamer un processus de sécession alors que le rejet du Canada, lui, le serait ou pourrait l'être. Or, comme les rapports problématiques qu'entretiennent les Québécois à l'égard du Canada ont tout à voir avec leur refus de souscrire à un projet daté et donné du pays et non pas, comme certains le laissent entendre, avec un rejet total et définitif de ce pays, il s'ensuit que le *Clarity bill* gêne moins qu'il ne soulage.

A priori surprenante, cette réalité paradoxale — une limitation apaisante pour ceux qui la subissent ! — est tout à fait caractéristique des relations ambivalentes que les

Québécois entretiennent avec l'Autre et avec Eux-mêmes, relations qui découlent de leur appréhension envers tout processus d'« exodigestion » (incorporation dans l'Autre) ou d'« endoingestion » (enfermement en Soi). Il faut voir comment fonctionne ici cette dialectique spéciale.

La loi de clarification ne trouble pas énormément les Québécois parce qu'elle stipule, conformément à l'avis de la Cour suprême, qu'un désir de sécession nettement exprimé au sein d'une province de la fédération canadienne obligerait le Parlement du Canada à engager, à certaines conditions, la négociation de l'éventuelle sécession de cette province. Dans la loi qu'il édicte, le gouvernement du Canada reconnaît donc implicitement le principe d'un démembrement pacifique du corps national, ce qui n'est pas rien et ce qui, surtout, va dans le sens des attentes *théoriques* des Québécois de se séparer, le cas échéant, dans la douceur, le consensus et l'amitié réciproque des parties. Mais le *bill* délivre parce qu'il énonce également que la séparation d'avec le Canada ne pourra pas découler d'une opération confuse ni reposer sur une volonté mitigée, une démarche hésitante, un consensus ambigu, une acceptation ambivalente, un NOUI ou un OUIN. Or, ce rempart contre Eux-mêmes et contre l'unilatéralité possible de l'Autre, la majorité des Québécois le souhait(ai)ent probablement comme moyen de se prémunir contre le péril de l'exclusion, qu'il prenne la forme d'une sortie non désirée du pays, d'une expulsion[9], d'un auto-enfermement dans une démarche univoque de rupture ou d'un renoncement final et définitif au Canada.

Qu'on se le dise à défaut d'adhérer à l'image : le point de non-retour est un panneau de signalisation politique que les Québécois détestent autant que celui qui, sur une carte routière, leur indique un cul-de-sac, une pente abrupte, une chaussée rétrécie ou une voie fermée.

Pragmatisme

L'attitude d'ouverture manifestée par les Québécois à l'ensemble canadien ne saurait cependant mener l'analyste à négliger un fait durable : il existe chez les Québécois une volonté, enracinée dans l'histoire de la collectivité, de constituer une société distincte et de se représenter comme une communauté nationale. Prétendre le contraire serait témoigner d'un aveuglement interprétatif primaire, voire manifester de la mauvaise foi. À l'encontre de ce que plusieurs aimeraient bien, c'est toutefois dans l'équivoque de liens multiples avec l'Autre envisagé comme un *alter ego* que se définit, aujourd'hui comme hier, le désir d'êtres des Québécois et que s'exprime leur intention nationale.

On a dit que l'ambition de constituer une société politique avait été, chez les anciens Canadiens tout autant que chez les nouveaux Québécois, niée historiquement. Pareille interprétation découle du fait que l'on a toujours saisi l'intention politique des Québécois à partir d'un canevas nationaliste classique dont le modèle archétypal était et demeure celui de la communauté politique indépendante se réalisant dans l'État-nation souverain. Or, il est clair que la formation historique de la société politique québécoise n'a pas suivi ce patron normatif. Cela ne signifie pas pour autant qu'une intention politique a été contredite. En fait, il faudrait peut-être se demander si l'éventualité pour le groupement de s'ériger en communauté nationale indépendante — un projet continuellement présent mais non dominant dans le paysage québécois — a jamais, *chez la majorité,* dépassé le stade de la simple inclination ou de la disposition virtuelle pour atteindre celui de la volonté large et ferme. Si l'on sonde subtilement plutôt que grossièrement le champ politique québécois, en s'attachant à prendre en compte toutes ses humeurs et expressions, il semble qu'il faille répondre non à cette interrogation.

Or, il en est de même aujourd'hui. À l'heure actuelle, c'est en effet dans le contexte d'une connexion flottante au Canada — ni rejet ni adhésion au pays — que les Québécois, dans leur plus grand nombre, conçoivent la possibilité de leur refondation collective. C'est aussi dans le cadre d'un rapport fluctuant avec l'ensemble canadien — ni pour ni contre le pays — qu'ils pratiquent leur intention nationale.

Il est assurément difficile, voire périlleux, de qualifier la communauté nationale québécoise. Bien que des cohortes de penseurs, de chercheurs et de commentateurs piochent sur la question depuis des lustres, le problème de définition de la communauté politique québécoise reste pratiquement entier. Jusqu'ici, la « natiologie » québécoise — pour reprendre un terme ironique suggéré par Gilles Bourque — n'a pas produit de résultat probant. C'est que, de manière générale, on ne s'est pas astreint à penser la communauté politique québécoise pour ce qu'elle fut réellement et de la façon dont elle s'est spécifiquement construite, présentée et réalisée dans l'histoire. On a plutôt abordé cette communauté politique à l'aide de schèmes ou de modèles théoriques habilement ficelés et cachant bien leurs hypothèses ontologiques, que ces schèmes ou modèles soient ceux des collectivités neuves, ceux du développement national autocentré ou ceux des nations émergentes. Inévitablement, puisque le parcours de la communauté politique québécoise n'a pas obéi à ces modèles, on a conclu qu'elle ne s'était pas formée ni élevée selon ce qu'elle aurait pu être ou dû être. Cette communauté politique est donc apparue comme tronquée, inaccomplie, en mode de survie, anormale, estropiée, dépossédée, aliénée, hésitante à s'assumer, et quoi encore ? Inscrivant leur vision du Québec dans une problématique du manque et de l'inachèvement collectif, les « natiologues » d'ici ont préféré s'interroger, par exemple, sur les raisons au fait que les Québécois n'étaient pas encore souverains plutôt que de se demander pourquoi ces derniers n'avaient pas choisi, du moins jusqu'à maintenant, la souveraineté pour vivre leur condition nationale.

Or, il faut noter le vice inhérent à cette démarche interprétative qui consiste à faire de son objet d'étude le sujet de sa volonté et la projection de son désir. En refusant de se laisser confondre par le caractère apparemment « confondant » de l'expérience historique québécoise, les analystes ont en effet décidé d'ignorer, d'évacuer ou de maudire les équivoques de la communauté politique québécoise plutôt que d'essayer de les conceptualiser ou de les synthétiser. À leurs yeux, le *problème* de cette nation sans bon sens, à l'évidence confuse par rapport à sa trajectoire anticipée et réfractaire à l'idée de réintégrer le « droit chemin », ne découlait pas de leur vision des choses, il procédait de la capricieuse nation elle-même ! Discipliner la (re)belle par concept interposé devenait dès lors un impératif salutaire. D'où leur insistance à orienter leurs analyses en fonction de leur espoir caressé : celui de (voir) changer l'indocile. À force de se faire infliger un sens, celle-ci allait en effet, tôt ou tard, accepter de se laisser prendre dans le filet des représentations qu'on lui proposait, de faire ce qu'on attendait d'elle. La gaine qu'on voulait lui enfiler finirait bien par plaire à la précieuse compliquée. Bon gré mal gré, elle allait aimer le maquillage imposé et se reconnaître dans l'image qu'on lui renverrait d'Elle-même.

Vainement jusqu'ici ! En dépit des efforts déployés pour parvenir à la dompter, la communauté politique québécoise demeure difficile à catégoriser, à étiqueter et à caser. Peut-être y aurait-il lieu de procéder autrement pour cerner la récalcitrante. La meilleure façon de l'amadouer, non pour la domestiquer mais pour vivre en paix avec sa personnalité dissipée et têtue, serait peut-être de l'accepter comme elle est, dans son ambivalence, voire dans sa versatilité, en tout cas dans son « intranquillité », pour le dire comme Pessõa. Car ce qui décrit le mieux la communauté politique québécoise, c'est son inconstance et sa mobilité, notamment sa propension à n'être jamais là où on pense la trouver, mais toujours là où on ne la cherche pas. La collectivité québécoise a en effet pour propriété d'être continuellement déplacée ou décalée par rapport à elle-même. À tel point qu'un constat s'impose : pour dépeindre ou qualifier la façon qu'a la société politique québécoise de se présenter, il serait peut-être juste et pertinent de parler de nation pragmatiste, c'est-à-dire de nation ouverte, adaptable, flexible, réaliste, inventive et astucieuse, un peu à l'image des gens qui l'habitent et qui l'ont historiquement colonisée de leurs aspirations et façonnée de leurs pratiques.

Apparemment triviale ou banale dans son énoncé, cette

idée de « nation pragmatiste » n'est pourtant pas sans parenté avec un concept mieux fondé théoriquement et possédant une certaine tradition heuristique, celui de « nation mineure ». Introduit dans le débat par Bill Marshall pour décrire la condition nationale des Québécois[10], ce concept, qui s'inspire des travaux de Gilles Deleuze et Félix Guattari sur les « littératures mineures », n'a évidemment aucune connotation défavorable ou méprisante à l'endroit du Québec, au contraire.

Dans l'esprit de Marshall, la nation mineure est celle qui n'a de cesse de se métamorphoser, de s'acclimater aux contextes rencontrés et aux contingences affrontées, d'innover dans ses formes, de proliférer dans ses façons d'*êtres* et donc dans ses modes de devenir. La nation mineure est une communauté politique qui accepte de ne jamais apporter de réponse définitive, tranchée ou uni(vo)que à sa condition. Pour cette raison, la nation mineure est non seulement une énigme permanente à la question qu'elle (se) pose, elle est également en situation continuelle de mouvance par rapport à elle-même, de déviation par rapport à ses prescriptions, d'« anormalité » par rapport à toute idée d'itinéraire rectiligne, ordonné, balisé ou lissé. On pourrait dire de la nation mineure qu'elle est paradoxalement caractérisée par un devenir non national, c'est-à-dire que son parcours ne se conforme pas aux territorialités et aux étapes historiques programmables de la nation hégélienne ou à celles, clairement délimitées, de la nation wesphalienne. La nation mineure est celle qui est capable de désorganisation, soit cette disposition à s'ouvrir à des agencements inédits d'Elle-même par rapport à Soi et à l'Autre.

La nation mineure est aussi celle qui peut inscrire son

destin dans une *ligne de fuite*, attitude collective qui consiste, à partir d'une position de liberté ou de fronde face à toute situation rencontrée ou conjoncture donnée, à relever le défi du nouveau plutôt qu'à se braquer au nom d'une strie fondatrice à respecter ou d'un *télos* transhistorique à réaliser. Dans la perspective que nous préconisons, le concept de ligne de fuite a une acception positive plutôt que négative — ce qui nous rapproche de l'idée originelle de Deleuze[11]. Fuir s'entend en effet dans le sens de perdre son étanchéité ou sa finitude, c'est-à-dire de gagner en ouverture et de rechercher les passages vers l'ailleurs : par exemple, accueillir favorablement ce qui se présente à Soi comme un beau risque ; être capable de s'épanouir à la vue de l'Autre sur un mode qui suppose la possibilité d'un nouvel agencement de Soi. Mais fuir renvoie aussi à la faculté d'esquiver, d'échapper à ce qui effraie ou irrite, à ce qui (cir)conscrit ou embrigade : par exemple, fuir les étreintes incommodes des « machines binaires », que ce soit le règne absolu du OUI et du NON, le choix irréductible entre deux options comme loi du possible ou la dichotomie comme horizon du devenir. La nation mineure — ou pragmatiste, dans notre langage — est celle qui est capable de se régénérer sans s'étrangler ou se dissoudre, celle qui est ouverte à une reconnexion à Elle-même par la médiation de l'Autre, de l'Ailleurs et du Nouveau.

Pour illustrer l'à-propos de notre formule, métaphorique certes mais qui a une prise réelle sur l'histoire et sur le présent de la société québécoise, il convient d'utiliser un exemple.

À nos yeux, le caractère pragmatique et adaptable de la communauté nationale québécoise se laisse deviner, en ce début de XXIe siècle, par la manière qu'a le Québec d'affronter le défi de la mondialisation anglo-saxonne, laquelle est linguistique bien sûr, mais aussi culturelle au sens large du terme, y compris dans la façon d'aborder le changement et de remettre en cause les acquis. Vu la place occupée par la société québécoise sur la planète et sa proximité avec les États-Unis, centre par excellence de la production culturelle contemporaine, on aurait pu s'attendre à ce que le Québec figure parmi les premières victimes de l'hégémonie anglo-saxonne et que sa capacité à se (re)produire comme nation, qui se fonde tout de même sur la mise en valeur d'héritages historiques spécifiques, notamment sur le plan de la langue, de la culture et des valeurs collectives, soit ébranlée au point d'être hypothéquée. Or, tel ne fut pas le cas — du moins jusqu'ici.

Dans cette « victoire à la David contre Goliath », il faut assurément voir le résultat du fort niveau de conscience de Soi et d'autonomie institutionnelle que possède la culture québécoise. Mais cette explication ne suffit pas. Le positionnement heureux, voire avantageux, du Québec dans l'arène culturelle mondiale, tout au moins dans celle du monde occidental, tient davantage à la façon dont ses créateurs se sont appropriés, particulièrement en français, les thèmes de l'« universalité » contemporaine, lesquels sont largement définis par les cultures anglo-saxonnes, et les ont traduits dans des formes, des mots, des musiques et des rythmes compatibles avec les références québécoises qui, compte tenu de leur penchant pour l'acclimatation et l'universa(ti)lité, se sont régénérées et actualisées dans le processus de la traduction culturelle. Dans ce contexte, nulle surprise à ce que la culture québécoise, qui offre un motif à la prétention des Québécois de se réclamer du statut de nation, apparaisse comme particulièrement innovante en Occident, au même titre d'ailleurs que d'autres cultures ou nations « mineures » — pensons seulement à ce qui survient du côté des Antilles ou des Caraïbes.

La vitalité de la société québécoise est encore plus frappante si on la compare à celle de la France, nation assurément majeure et importante. À bien des égards, le Québec a en effet défini les normes ou les tendances et a surpassé son *alma mater* quant à la façon de négocier l'avenir et de composer avec les défis de la mondialisation anglo-saxonne[12]. Alors que la France a du mal à intégrer ses nouveaux arrivants, à renouveler ses formes culturelles et linguistiques, à briser ses rigidités sociales, à rompre avec ses hiérarchies séculaires, à quitter ses lieux de mémoire pérennes, bref à s'écarter de son canon nationalitaire et unitaire[13], le Québec, sans se perdre de vue dans les mutations qu'il a connues et recherchées, a su précisément apprivoiser le nouveau pour en faire son tremplin d'évolution, un peu comme l'oiseau utilise le vent pour voler, pour se transporter, pour *fuir* l'immobilité. Dire qu'en beaucoup de secteurs le Québec est devenu une source d'inspiration, voire un modèle, pour la France n'a rien d'une boutade. Dans la comparaison entre la France et le Québec, archétype de la nation majeure et focalisée, d'un côté, et de la nation mineure et plurivalente, de l'autre, il est d'ailleurs symptomatique que la première apparaisse de plus en plus, aux yeux des jeunes surtout, comme un lieu mythique et romantique alors que la seconde est apparentée à un lieu énergique et dynamique.

Bien sûr, personne ne contestera que le Québec n'est

pas près de se hisser au rang de la France et que, dans le théâtre du monde, la puissance et le rayonnement de l'Hexagone (fondés sur ses réalisations passées ?) sont sans commune mesure avec celles du Québec. Personne ne dira non plus qu'il y a consensus au Québec sur la façon la plus appropriée d'envisager l'avenir. Le débat qu'a suscité la publication coup sur coup en 2005 de deux manifestes, *Pour un Québec lucide* et *Pour un Québec solidaire*, témoigne sans ambages des divergences d'opinions qui marquent la cité québécoise en ce qui concerne la réflexion sur son devenir. Rien n'empêche que le Québec s'actualise et se refonde sur un mode beaucoup plus souple et pacifique que la France. Or, ce passage heureux a grandement à voir avec la capacité démontrée depuis toujours par les Québécois, et par les anciens Canadiens avant eux, de s'adapter aux contingences de l'évolution historique en s'ajustant aux flux et aux défis du nouveau et en pratiquant, dans cette matière touffue pleine d'interstices et d'ambiguïtés créatrices, des brèches vers leur devenir collectif. Forts peut-être d'une conscience aiguë de la fragilité des communautés politiques et du caractère imprévisible de leur évolution dans le temps, les Québécois, à l'instar des anciens Canadiens précédemment, se sont toujours appliqués à déjouer avec patience et discernement les limites et précarités qu'ils rencontraient dans leur parcours.

Pourtant, cette capacité d'adaptation et d'ajustement de la communauté politique québécoise à la situation qui se présente à elle n'est pas perçue comme étant enviable par tous, notamment par les célébrants de l'éternelle survivance des Québécois comme Sujets de l'histoire. Au lieu d'envisager cette propension à l'acclimatement comme un atout, c'est-à-dire comme une marque de vitalité, d'indépendance, de souveraineté et de liberté à êtres, les ténors de l'affranchissement national y voient plutôt un signe de déchéance, d'aliénation, de servitude et de somnolence. Ils la considèrent comme l'expression d'une incapacité ou d'une médiocrité à être, la preuve d'une docilité, d'une soumission, d'une mollesse et d'une apathie collectives, la manifestation — pour le dire comme Hubert Aquin dans *La Fatigue culturelle du Canada français* — d'une réduction, d'une fonctionnarisation, d'une minorisation acceptée, d'une dépolitisation, d'une déréalisation de Soi et donc d'une conscription au profit de l'Autre.

Ouvrons donc sciemment un chantier interrogatif à ce sujet : dans le pragmatisme et l'adaptabilité des Québécois aux flux du monde, faut-il voir une façon d'*êtres* qui soit porteuse ou décourageante pour la prospérité et la continuité de la communauté politique qu'ils forment ? En s'accommodant d'une mentalité de sympathisants (être ouvert à un projet sans l'appuyer complètement ou durablement), les Québécois misent-ils en vainqueurs sur l'avenir ou minent-ils leur capacité à se réaliser historiquement ? Et, finalement, est-il préjudiciable à leur cause que les Québécois rejettent toute perspective tranchée ou définitive, par exemple l'indépendance ou la canadianisation/canadiennisation de leur destinée, au profit d'une voie et d'un lieu plus mitigés — ceux de l'intermédiation en l'occurrence ?

Autrement dit et d'une façon plus crue peut-être, le contentement réputé des Québécois devant leur sort est-il la marque d'une innocence collective ? Atteint-on la conscience et s'élève-t-on à l'Être par la seule voie de l'abnégation, de la souffrance et du sacrifice ?

La suite possible

Nous partons d'un postulat qui est malheureusement laissé de côté par un grand nombre de politiciens et par beaucoup d'analystes politiques : l'emblématique et la symbolique d'un État, d'un pays, ne sauraient avoir préséance sur la problématique d'une collectivité et sur le bonheur prosaïque de ses habitants. Ce qui compte, en effet, ce n'est pas qu'une collectivité se réalise historiquement sur un mode ou un modèle donné — à cet égard, l'histoire a d'ailleurs beaucoup plus d'imagination que les spécialistes n'ont d'esprit. Ce qui importe, c'est que les membres d'une collectivité puissent, tant sur le plan individuel que collectif, s'épanouir au diapason de leurs possibilités. L'épanouissement d'individus formant une collectivité et trouvant en elle le lieu et le moyen d'un resourcement concret de leur être, est, du point de vue du politique, une finalité bien plus importante et louable que le fait pour cette collectivité d'être classée, dans le grand livre de l'aventure humaine, sous une entrée (re)connue — pays, État, nation, royaume, principauté, province, etc.

Dans cette perspective, le rapport de continuité ou de nécessité que l'on établit souvent entre nation culturelle et nation politique (non pas au sens d'une nation consciente d'elle-même, mais au sens d'une nation achevée dans l'État souverain ou se réalisant enfin sur ce mode) est spécieux. Du fait de sa vitalité, de ses formes de complétude institutionnelle et de la masse critique d'hommes et de femmes qu'elle rallie à ses références et à sa régénération, il est en effet possible pour une culture — à moins d'être dénigrée, niée ou écrasée, ce qui n'est pas le cas de la culture québécoise — d'exister et de se développer sans disposer d'un État en propre pour se hisser ou être halée au-delà de son étant. De la même façon, il est possible à un État d'émerger sans s'appuyer sur une culture particulière pour s'élever et légitimer son avènement. Il n'existe pas de réciprocité objective, de lien automatique ou de rapport causatif obligé entre l'existence d'une culture et le statut politique du corps collectif qu'elle fonde et qui s'y rapporte.

Certes, il est important qu'une culture ait conscience d'être pour continuer à être. Sur ce point, Fernand Dumont dit juste : c'est en devenant consciente d'elle-même, soit en bâtissant sa référence et en se constituant comme référence, qu'une culture accède au politique[1]. Mais la suite des choses est ouverte. La conscience nationale ne mène pas fatalement au nationalisme ni à l'État-nation souverain. Un corps collectif peut s'épanouir en tant que nation culturelle insérée dans un ensemble étatique plus vaste aussi bien qu'il peut le faire sur le mode d'une nation politique conformée en État indépendant. Il n'y a pas, dans un cas, médiocrité, incomplétude, inachèvement ou survivance, et, dans l'autre, apothéose, accomplissement, aboutissement ou résurgence. Aucun postulat objectif ne peut soutenir la thèse normative qui veut qu'une nation réussisse sa transition historique et se réalise parce qu'elle se (re)fonde comme État indépendant alors qu'une autre, faute d'une telle (re)fondation, échoue son examen devant l'Histoire. La forme politique d'un corps collectif n'est pas bonne ou mauvaise, heureuse ou pitoyable, triomphante ou misérable. Elle est ce qu'elle est par suite de ce que fut l'histoire des possibilités offertes, des embûches rencontrées et des choix posés par les hommes et par les femmes ayant habité et façonné ce corps collectif au fil du temps.

À cet égard, on a vu que la communauté politique québécoise, bien que travaillée tout au long de son histoire par certaines idées de rupture et de refondation autonome, avait orienté son devenir dans un espace politique mitoyen, intermédiaire et métissé. Refusant la perspective de la dépendance tout autant que celle de l'indépendance, sa veine avait été celle de l'interdépendance. Récusant très tôt l'« aliénation » de Soi comme horizon d'être, les Canadiens avaient plutôt misé sur le principe de la « nation-alliée » pour s'élever à titre de Sujets dans l'histoire, en tirant profit de l'appareil d'État qu'ils s'étaient donné comme moyen d'y arriver.

Or, force est d'admettre que l'élévation du groupement sur ce mode, celui de la nation alliée, n'a jamais été aisée. L'expérience historique québécoise est un parcours scandé de déceptions et de revers, de blessures et d'humiliations, de baisers hypocrites et de fausses promesses. Mais elle est aussi un itinéraire ponctué de victoires et de réussites, de reconquêtes et d'avènements, de progression et de rénovation. Au fond, l'expérience historique québécoise est une suite de passages incessants, de la part d'une collectivité forte et fragile en même temps, vers quelque chose de différent, ce quelque chose n'exprimant pas la montée inexorable de cette collectivité vers un pinacle ni sa retraite inéluctable dans une débâcle, mais la situant plutôt à mi-chemin entre le Soi et l'Autre (volonté de durer et de se transformer), entre le connu et l'inconnu (désir de continuer et de se refonder), entre l'Ici et l'Ailleurs (souci de rester et de se distancer), entre le modèle à accomplir et le modèle à inventer (recherche d'universalité et de spécificité). C'est dans le cadre de ces dialectiques paradoxales à focalisations multiples, équivoques à plus d'un titre, que la collectivité québécoise a fondé sa continuité tranquille, assuré sa prospérité raisonnable, gagné sa maturité prudente et construit son historicité originale.

Or, cette réalisation de Soi n'est pas rien. Elle n'est pas non plus insignifiante à l'échelle de l'histoire des collectivités. Mais elle reste décevante aux yeux de plusieurs discoureurs qui n'ont de cesse de rappeler aux leurs le malheur et la torpeur dans lesquels la nation est apparemment empêtrée. On entend régulièrement leurs doléances : faut-il, se plaignent-ils amèrement, que les Québécois se contentent d'un cheminement et d'un statut pareils — celui de la nation inachevée, bien sûr — qui témoignent d'une platitude à être, d'un conservatisme de mauvais aloi, d'un manque de courage, d'une hésitation pérenne à devenir Autre et à se dépasser dans un Sursoi qui, pour une fois, ne serait pas simple sursis de Soi ?

Ambivalence et « fadeur d'être »

Il n'y a pas de réponse objective ou scientifique à cette question. La caractérisation que nous avons faite et donnée à la façon d'êtres dans le temps des anciens Canadiens et des nouveaux Québécois, celle du double rattachement à Soi et à l'Autre conceptualisable par le terme d'ambivalence, ne tient pas d'une théorie de l'agir politique collectif. En d'autres termes, il n'y a pas dans notre esprit, non plus que dans la réalité observable, l'Idée préalable d'un Double rattachement ou celle d'une Ambivalence objective, sorte de principes d'être inhérents aux collectivités, qui se seraient réalisées dans l'aventure historique québécoise ou par elle. L'ambivalence des Québécois n'a rien d'une essence. Elle est une expérience du Soi dans le temps qui s'est ainsi conformée par nécessité, par choix, par occasion saisie dans la dynamique du moment, par imposition et par obligation. Sous ce rapport, le passé n'est d'ailleurs nullement garant de l'avenir.

Il faut en effet redire ici ce qui est une lapalissade : on peut faire une histoire de l'ambivalence québécoise ; on peut aussi qualifier d'ambivalente la façon d'êtres ayant jusqu'ici marqué le devenir québécois[2]. Mais il est impossible d'aller plus loin. On ne peut prédire la suite des choses. La forme politique que prendra la collectivité québécoise dépendra finalement du choix de ses membres. Ce que l'on appelle la permanence des sociétés et de leur Idée est une illusion. Dans le devenir d'une société, il n'y a pas en jeu de destinée immuable, de fatalité inéluctable, de dessein à réaliser ou de sommet à atteindre. Si, pour saisir l'expérience passée, voire présente, de la collectivité québécoise, l'analyste n'a d'autre option que de *faire avec* l'histoire équivoque de cette collectivité, aucune charge interprétative de cette nature ne l'engage envers l'avenir, car le parcours futur de la collectivité québécoise est ouvert à bien des possibilités. Il n'est pas nécessaire en effet que ce parcours soit « équivoque » à jamais. Au contraire, rien n'interdit qu'il s'« éclaircisse ». Rien n'empêche non plus que la collectivité québécoise, suivant le désir de certains de ses paroliers, résolve ses ambivalences frustrantes en aménageant ses oscillations épuisantes en un tout organisé qui la délivre enfin de ses ambiguïtés récalcitrantes ! Ce n'est toutefois pas en leur contant fleurette sur leur destinée hier manquée, ou sur leur sort demain enviable s'ils empruntent la route enchantée des oasis promises, que l'on pourra mener les Québécois aux puits de leur « transmutation collective », mais en les conviant à boire au présent des liquides salutaires qui jaillissent apparemment de ces sources régénératrices.

Or, c'est ici que le bât blesse. Pour l'instant, les Québécois ne semblent pas pressés de choisir entre les deux breuvages qui, provenant de fontaines différentes, leur sont présentés comme des élixirs d'avenir. Malgré les avantages vantés des deux nectars : la liqueur exquise de l'indépendance, d'un côté, et le spiritueux sucré du fédéralisme, de l'autre, aucun ne paraît à lui seul satisfaire le goût particulier des Québécois. Ceux-ci n'arrivent pas à opter simplement, résolument ou définitivement pour l'une ou l'autre boisson-miracle. Ils préfèrent se désaltérer en buvant un peu des deux fluides ou en se concoctant, à partir de l'un et l'autre alcools, une décoction coquette et cordiale qui, aux yeux des *aficionado* des essences pures, constitue un cocktail pour le moins abject et corrompu. Adeptes des mixtes, les Québécois n'ont apparemment pas d'attirance ni d'élection pour les substances distillées. Encore une question d'inconscience probablement, ou de manque d'éducation, ou de masochisme (les Québécois aiment pâtir et languir, dit-on, même devant les sucs miraculeux qui leur sont offerts pour renaître !), ou d'avachissement collectif, ou de déficit de classe et d'ambition, ou de plat désir de transcendance, ou d'impuissance tout court à se hisser au rang des éminents — sauf exception, le Sujet collectif ne joue-t-il pas un rôle de mineur, de perdant ou d'avorton dans l'imaginaire québécois[3] ?

Il faut donc reprendre les questions formulées plus haut en vue cette fois de leur apporter une réponse plus élaborée. Existe-t-il un autre avenir pour les Québécois que celui du compromis et de la compromission, des contorsions identitaires, de la négociation perpétuelle de leur espace de déploiement politique, des syncrétismes contradictoires et des dualités paradoxales ? L'ambivalence est-elle une aporie identitaire et politique ? S'agit-il d'une façon d'êtres qui se veut épuisante ou délivrante pour le groupement ?

Ambivalence et liberté d'êtres

Avouons-le sans ambages : répondre à ces questions dans un sens ou dans l'autre, par un OUI ou par un NON, tient finalement d'une position politique qui s'enracine dans une vision générale du monde, de l'action des hommes dans ce monde et de la possibilité réelle de le changer durablement.

À cet égard, notre point de vue est le suivant : dans ce

que l'on considère comme étant les ourlets, les plis et les replis de l'expérience historique, soit ces lieux caverneux, limoneux et labyrinthiques de la condition humaine, nous découvrons des viviers, des clairières et des traverses, bref des espaces de construction et des voies de communication, là où d'autres ne distinguent que des culs-de-sac et des marais, terrains évidemment inaptes à recevoir les grands idéaux humanitaires et nationalitaires cherchant à se poser pour mieux s'élever. Et, à partir de cette vision du monde où les entrelacs, les entrecroisements et les lacis foisonnent, nous tirons nos conclusions : au lieu de voir les enchevêtrements et les mitoyennetés comme des nœuds d'empêchement et des lieux d'agonie, nous les considérons comme des corridors de passage, des aires de faire, des espaces pratiqués et des sas de transit où s'élaborent des possibles, où surgissent des éventualités, où des déplacements sont effectués[4].

On a tort par exemple de concevoir l'ambivalence des Québécois comme la manifestation d'un écartèlement improductif du groupement entre deux positions politiques ou identitaires irréconciliables. À nos yeux, l'ambivalence — soit cette propension à vivre et à soutenir des processus et des orientations de sens contraire, sans qu'il y ait opposition entre les pôles mais cumulation des options — décrit une configuration politique stable du Soi libre. Dans l'ambivalence, le Soi s'inscrit en effet au cœur d'une synthèse disjonctive, autour d'un élément paradoxal qui articule positivement ses identités divergentes et les rend compatibles. À l'encontre de la vision commune, l'ambivalence n'est pas une pratique génératrice de contradictions aporétiques et aliénantes. Elle est un principe organisateur et un lieu structurant qui s'élaborent dans la tension entre deux pôles. À la suite de Deleuze, on pourrait décrire l'ambivalence comme une sorte de complexe autodéterminant où le problème est en fait problématique, c'est-à-dire qu'il porte en sa propre formulation l'horizon de sa ou de ses solution(s). Autrement dit, dans l'ambivalence les solutions sont engendrées en même temps que le problème se détermine et se modifie.

Ainsi, au lieu de provoquer l'« embouchonnement » du Soi dans le cul-de-sac de l'univocité où le ceci est inconciliable avec le cela, la pratique ambivalente, du fait même des liens qu'elle tisse entre le ceci *et* le cela, crée des confluences inaccoutumées, voire insolites, par où se réalisent les passages et par où s'effectue aussi la régénération du collectif. L'histoire du Canada-Québec est pleine de ces conjonctions inattendues, paradoxales bien entendu, qui ont permis au pays dissonant de se ressaisir et de récupérer pour l'avenir. Or, l'existence effective de ces liens et la réalité de cette régénération contredisent la thèse voulant que la société québécoise se contente(rait) d'être simplement ce qu'elle est *hic et nunc*, dans l'abandon de toute aspiration à devenir. En fait, la société québécoise évolue considérablement et continuellement. Mais il s'agit d'une évolution non conventionnelle qui ne se conforme pas ni ne s'enferme — qui refuse donc de se *confermer* — à un programme précis, à une trajectoire donnée, aux prescriptions d'une utopie. Il s'agit par ailleurs d'une évolution libre en ce qu'elle est délivrée du fantasme de l'éternité ou de l'aboutissement ultime (être tout) en même temps que du spectre de la fin ou de l'aplatissement final (n'être rien)[5]. Entre ces deux horizons extrêmes se trouve en effet une pléiade de façons d'êtres qui constituent autant de parcours possibles dans lesquels les collectifs peuvent construire leur histoire.

Souvent, ces parcours ne sont d'ailleurs pas linéaires, mais sinueux. Ils se nourrissent des turbulences qui les frappent et de celles que leur propre évolution engendre. Or, pareille dynamique crée des irrégularités autant que du brassage, de la courbure autant que du mélange. À tel point que l'on pourrait représenter l'itinéraire historique des Québécois sous la forme d'une droite de lignes courbes entremêlée et prenant librement ses ébats (*voir* figure 2). Pareil itinéraire est à coup sûr ambigu en ce qu'il ne génère pas de « force gravitationnelle » capable de placer le Sujet sur une orbite du Soi qui est ou serait régulière, progressive et prévisible. Il est dès lors pratiquement impossible d'assigner à ce Sujet une trajectoire précise dans le temps, ce qui n'est pas sans déconcerter plus d'un analyste scrutant son écran radar pour apercevoir et anticiper le déplacement de son objet. Là réside d'ailleurs un important problème pour les penseurs de la condition québécoise. Si ces derniers ont du mal à suivre et à comprendre la route empruntée par la collectivité québécoise pour se mouvoir dans le temps de son devenir, c'est parce qu'ils cherchent une ligne continue, un parcours rectiligne conforme à la rectitude supposée de l'être, ignorant, comme le dirait encore Deleuze, l'inclinaison de l'être tout autant que la courbure du Sujet !

Il semble ainsi que les Québécois refusent d'élire résidence en un lieu unique et de se fixer une fois pour toutes dans le pré carré d'une seule identité collective. Leur trajectoire historique s'apparente plutôt à une espèce de *road trip*, parcours dont le principe de continuité est précisément la discontinuité linéaire et dont la logique de progression, car il y en a une, dépend des occasions qui se présentent au voyageur tout autant que des initiatives qu'il prend pour

Figure 2. Plan de la trajectoire historique des Québécois.

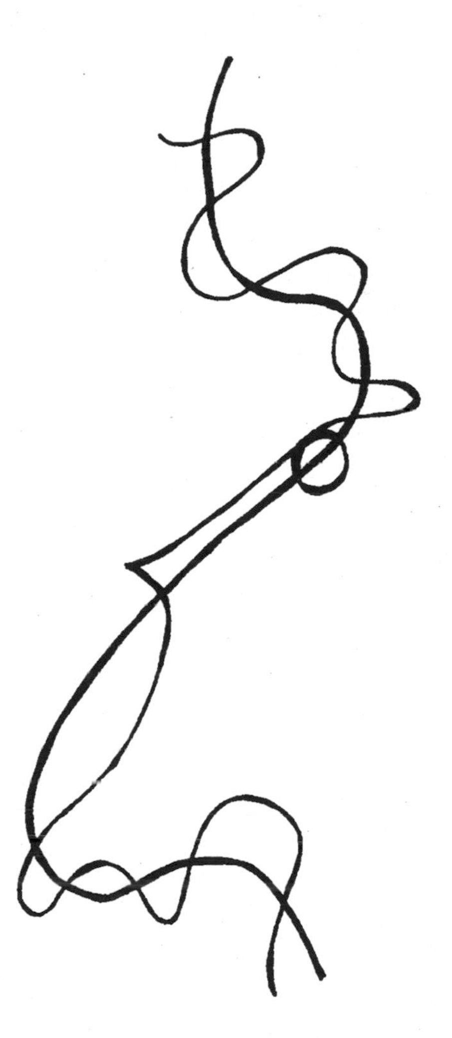

D'après un croquis de Gille Deleuze reproduit dans son ouvrage *Le Pli : Leibniz et le baroque,* Paris, Minuit, 1988, p. 21.

passer d'un point à l'autre de sa carte imaginaire. Or, pour bien des commentateurs, cette mentalité de bourlingueur inassouvissable, dont l'orientation multipolaire déroute l'esprit cartésien du navigateur tout autant qu'elle brise les tracés précis de l'arpenteur, est le drame en même temps que le danger du Québécois. Si on suit le raisonnement de ces analystes, le Québécois court en effet le risque, à la suite de ses pérégrinations, de s'égarer sur des voies secondaires et de rater son rendez-vous avec l'Histoire, si ce n'est celui de frayer avec le diable du Mirage d'êtres et de perdre son âme nationale. À n'en pas douter, l'ambivalence des Québécois épuise les ressources de l'imagination théorique des penseurs de la condition québécoise. Or, cela n'est pas un moindre problème. Il se pourrait en effet que le refoulement par ces derniers du parcours atypique jusqu'ici suivi par le groupement fasse en sorte qu'ils n'arrivent pas à penser l'objet de leur quête autrement que sur le mode d'une figure idéale à contempler et sur laquelle nourrir leur fantasme politique, cela jusqu'à l'exhaustion de leurs hypothèses ontologiques. Dans ce contexte, nulle surprise à ce que la pensée sur le Québec soit qualifiée d'impuissante : c'est vers une chimère qu'elle pointe le dard de son désir analytique…

Que faire ?

On comprendra qu'il n'est pas dans notre intention de jouer ici à l'auguste oracle ou de nous hisser au rang de capitaine de société. Plus simplement, il s'agit d'avancer quelques idées générales fondées sur nos interprétations et argumentations précédentes.

Pour permettre à la société québécoise de poursuivre sa route, il est certainement nécessaire, dans un premier temps, de cesser de la concevoir comme étant en crise, au bord de l'effondrement, en voie d'être absorbée, glissant sur une pente descendante ou à la veille de disparaître, cela sous prétexte qu'elle ne se réalise pas selon un dessein anticipé ou ne suit pas une trajectoire prévue (on se demande d'ailleurs quel serait ce dessein ou cette trajectoire objectivement désirables, si ce n'est de se lover dans le projet démocratique).

La société québécoise n'est ni en reculade ni en voie de régression ou de perdition. Au contraire, elle n'a de cesse de (re)bondir, de s'actualiser dans des formes tout à la fois congruentes et surprenantes par rapport à son identité historique, une identité qui, emportée par les processus de régénération qu'elle connaît, se renouvelle au lieu de se pétrifier, ce qui lui permet d'éviter de se scléroser[6]. Il est clair que la société québécoise n'est pas empêtrée dans ses lieux de mémoire. Elle n'est pas davantage engagée sur une voie d'éloignement par rapport à elle-même. Elle est plutôt en transition entre deux points d'un parcours vaguement balisé par des projets, des programmes et des utopies, parcours que les conditions du voyage et les contingences du moment modifient cependant au gré des circonstances. Évidemment, les possibilités offertes par ces modifications d'itinéraires ne sont pas illimitées. Si les réorientations du Sujet collectif tiennent à sa capacité éprouvée de profiter des occasions qui se présentent à Lui, elles s'accordent aussi à ses (p)références.

Conformément à son désir avéré d'association et de collaboration, ce Sujet veut bien accepter à ses côtés, par exemple, la présence d'un compagnon pour avancer sur la piste infinie et indéterminée du devenir. Mais, refus de soumission ou de subordination oblige, il n'est pas question que ce partenaire mène la marche unilatéralement. Il n'est pas davantage acceptable de s'en remettre à Lui pour déterminer l'itinéraire du duo. Le fait d'avancer de concert avec Lui, en suivant ses traces ou en faisant corps de manière symétrique dans la déambulation des deux parties, n'est pas plus enviable. De même, si le Sujet n'est pas rébarbatif à l'idée d'emprunter un sentier prometteur pour éventuellement progresser de manière plus facile ou rapide sur le chemin qui se présente à Lui (ouverture à la bifurcation), il n'a nulle intention de prendre des risques inutiles ou de connaître des misères indues pour atteindre l'avenue suprême (crainte de la déperdition). Son ambition n'est pas non plus d'opter pour un tracé qui pourrait le mener vers des horizons inconnus par rapport à ses repères habituels (volonté de la refondation dans la continuité). Pour le Sujet collectif québécois, la pratique de l'ambivalence, voire de la plurivalence et de la versatilité dans certains cas, n'implique pas de se complaire dans la condition du Désorienté. Elle ouvre au contraire à celle du Polycentré.

La deuxième idée découle de la première. Parce que la société québécoise se recompose sur des modes que la pensée qui s'intéresse à cette société arrive mal à saisir, il paraît nécessaire de renouveler non seulement le répertoire de concepts utilisés pour cerner la condition québécoise, mais de modifier aussi le rapport traditionnel qui lie, dans l'épistémè québécoise, la méthode et la mémoire, façon peut-être d'initier la communauté des penseurs d'ici à une autre éthique et esthétique de la démarche savante.

Aux yeux d'un très grand nombre d'intellectuels qui se refusent à penser l'avenir du Québec autrement que sur un mode inquiet, l'activité scientifique touchant à la mise en sens générale de la société québécoise ne peut être en effet menée de manière dilettante ou indifférente. Cela est particulièrement vrai pour l'écriture de l'histoire. Selon plus d'un penseur, cette tâche doit être réalisée dans la perspective de cultiver l'utopie au sein de la société ; dans celle, aussi, de protéger cette société contre ses dérives éventuelles ; dans celle, enfin, d'alimenter la conscience historique de ses membres en vue de les amener à poursuivre le projet de cette société[7]. Il y a plusieurs années, Fernand Dumont avait exprimé dans une formule forte cette nécessité de relier, au Québec, la science et le politique. Il écrivait ainsi que la construction de l'objet « Québec » devait se faire au carrefour de l'histoire et de la mémoire, c'est-à-dire dans l'optique d'offrir à la société les conditions de sa perpétuation dans le temps. Pour Dumont, l'intellectuel québécois n'avait d'autre choix que de réfléchir *à partir* du Québec et non pas *sur* cette culture ou *sur* ce lieu[8]. Outre qu'un tel rapport entre la science et le politique ne va pas de soi, ni au Québec ni ailleurs, on se demande si le temps ne serait pas venu de rétablir la primauté de la méthode — et donc de la distance — sur la mémoire et l'appartenance, de manière à libérer la pensée sur le Québec de toute obligation de cautionner son objet transformé en Sujet à protéger, à consolider et à pousser vers son devenir prescrit ou désirable — sorte de « Petit » à épauler dans sa destinée.

Il apparaît en effet que la mémoire, soit la mise en forme et en sens du Sujet selon une certaine tradition et projection de Lui-même, est devenue un carcan plutôt qu'un tremplin pour la pensée d'ici. Les intellectuels québécois — ceux en tout cas qui se livrent à l'exercice métahistorique — ne savent plus se poser comme extérieurs à leur objet, craignant sans doute de rendre cet Objet-Sujet étranger à Lui-même, ce qui serait apparemment le condamner à la disparition. Liés au Sujet québécois par une fonction organique de protecteurs ou de directeurs de conscience qui ne leur permet pas d'assumer jusqu'au bout leur fonction de critiques, ces penseurs abordent leur Objet-Sujet-Petit par l'entremise d'une mémoire particulière de Lui-même ou par le biais de l'espoir qu'ils placent en Lui. Ce faisant, ils cantonnent son devenir, celui qui part d'hier pour aller jusqu'à demain, dans une voie imposée, tant sur le plan scientifique que politique. Alors que le Sujet québécois aurait besoin d'air et de nouvelles perspectives pour se ressaisir et réévaluer sa trajectoire historique par rapport à Lui-même et par rapport à l'Autre, façon peut-être de se dégager d'un espace d'expérience et d'un horizon d'attentes dans lesquels il est irrémédiablement (re)placé — celui de la nation qui n'a pas su (se) faire comme les Autres et qui bégaye son nom dans l'histoire plutôt que de l'affirmer résolument — on offre à ce Sujet une représentation de Lui-même qui le confirme dans son rapport compliqué, voire vicié, au Soi et à l'Autre, comme si ce Sujet avait jusqu'ici manqué le bateau de l'Histoire et que, faute d'être comme l'Autre, il ne pourrait jamais devenir Lui-même comme ce qu'il aurait dû être ou devrait être, c'est-à-dire un Autre !

On se demande parfois si la pensée sur le Québec, malgré son indéniable raffinement, ne reste pas prise dans les affres d'un quelconque complexe du colonisé où le Soi ne peut advenir que s'il devient comme l'Autre plutôt que de s'assumer dans son historicité particulière. Vivement la structuration d'une pensée postcoloniale au Québec qui sortirait le groupement — la nation si l'on veut — du sillon primaire où s'enracine son épistémè fanée : celle de ne pas être comme l'Autre.

Pour permettre aux Québécois de continuer sur leur lancée, il est une troisième idée qui paraît invitante : celle d'investir simultanément tous les terrains, d'occuper toutes les positions, de se manifester dans tous les forums, de se déployer sur tous les fronts, bref de prendre (de) la place. Cette façon d'être partout à la fois, non pas comme une girouette qui tourne à tous vents, mais comme une marmotte qui s'approprie un terrain en y aménageant un système complexe de couloirs de surface et de galeries souterraines à plusieurs entrées et sorties, ce qui lui permet de se mouvoir rapidement dans l'espace en évitant les pièges et en se ménageant plusieurs issues possibles, est proche de l'ambivalence manifestée par les Québécois depuis des lustres. L'ambivalence, en effet, n'est pas l'expression d'une indécision devant les deux termes d'une alternative. Elle est la volonté d'opter pour les deux partis ou, encore, celle de n'en choisir aucun fermement, mais de favoriser une combinaison des deux options ou de se lover dans l'interstice de la binarité, corridor permettant d'accéder à un autre lieu d'être et à un devenir possible, parfois différent.

Cette idée de passage est d'ailleurs cardinale dans l'expérience historique québécoise. On pourrait sans peine montrer que la figure du passeur est l'une de celles qui siéent le mieux au Sujet collectif québécois, y compris à l'époque où il s'appelait Canadien. Par passeur, on entend ici celui qui se déplace, déménage, bouge, oscille, se meut et change ; celui qui déséquilibre, disjoint, désynchronise, désaccorde et sépare ; celui qui bifurque, glisse, coule, roule, patine, se faufile, va et vient ; celui qui transpose, permute, convertit, inverse, intervertit, transforme et modifie ; celui qui importune, ennuie, trouble, gêne et contrarie ; celui, enfin, qui arrange, répare, raccorde, réconcilie, revient et rejoint.

Dans un article publié en février 2006[9], Jean-Marc Léger, mal à l'aise bien sûr avec la chose, présentait les Québécois comme un peuple de « traducteurs ». Cette qualification leur rend pourtant justice. Qu'est-ce qu'un traducteur en effet sinon un passeur allant et venant entre deux langues, s'infiltrant dans l'une et l'autre de ces langues en évitant toutefois de s'incruster dans une seule, cherchant dans les entre-lieux de ces langues les raccords, les conjonctions et les voies (de même que les voix) qui les font communiquer ? Le traducteur n'est pas celui qui entend maintenir deux langues dans un rapport de séparation. Son but est plutôt de les rendre compréhensibles l'une à l'autre, de les amener à dialoguer sur les ponts et grâce aux passerelles qu'il crée pour favoriser leur confluence et leur équivalence. Le traducteur est celui qui ne peut se satisfaire d'un seul point d'ancrage — fixe — pour aller et venir entre les continents qu'il dessert par ses mots. Le traducteur est celui qui ne se lasse pas de passer entre les rivages des espaces où il a construit des quais pour y débarquer et depuis lesquels il rembarque pour assurer et assumer son voyage vers l'autre bord.

La quatrième et dernière idée que nous soumettons modestement pour répondre à la question : « Que faire ? », consiste à suggérer que l'on en finisse, lorsqu'on pense le destin du Québec et que l'on cherche à en orienter le parcours, avec l'image tirée du grand rêve hégélien de l'Accomplissement suprême, de la Synthèse finale, du Tout complété, de l'Idée réalisée et de la Lumière enfin atteinte.

La croyance au Grand Soir est en effet devenue un élément central dans la liturgie de l'église souverainiste du Québec — comme de toutes les églises, du reste. Habituellement, ce Grand Soir est envisagé comme un moment d'achèvement, le summum d'une quête, qui est aussi un commencement, l'instant premier d'une reconquête. « Je suis arrivé à ce qui commence », écrivait en 1970 Gaston Miron dans *L'Homme rapaillé*, pour bien marquer le sentiment qu'il avait de vivre à une époque où tout (re)devenait enfin possible. Déclamé publiquement en septembre 1995, soit peu de temps avant le référendum qu'il annonçait, le préambule à la Déclaration de souveraineté du Québec évoquait également cette idée, noble et haute au point de se faire éthérée, voulant que l'indépendance apporte la délivrance ultime, rende possible la réconciliation d'une intention et d'une action historiques, ouvre la porte à un commencement bienheureux pour tous et ramène enfin les Québécois sur la voie fixée par leur destin, en accord avec l'ambition de leurs ancêtres et le souhait anticipé de leurs héritiers. « Voici venu le temps de la moisson dans les champs de l'histoire, lisait-on dans ce préambule. Il est enfin venu le temps de récolter ce que semaient pour nous quatre cents ans de femmes et d'hommes et de courage, enracinés au sol et dedans retournés. Voici que naît pour nous, ancêtres de demain, le temps de préparer pour notre descendance des moissons dignes des travaux du passé. Que nos travaux leur ressemblent et nous rassemblent enfin. »

Assurément poétique dans sa formulation, cette vision téléologique du Soi rejoint pourtant mal la réalité de l'histoire qui, ordinairement, est rétive à se laisser prendre dans les filets de pareilles évocations lyriques. Cela est vrai notamment au Québec, car, au chapitre de leur agir, les Québécois se révèlent pragmatiques bien davantage que platoniciens. La plupart d'entre eux ont de la difficulté à endosser les utopies simplistes et naïves du genre : « Pour quoi faire la souveraineté ? Pour tout faire. » ; « Pour quoi choisir le projet canadienniste ? Pour tout s'offrir. » À vrai dire, l'histoire montre que les Québécois préfèrent courir le risque d'avoir raison contre les idéologies plutôt que de se tromper avec elles.

Cette distance flagrante entre l'agir des Québécois (circonspect) et l'intention d'être qu'on leur prête (idéaliste) mérite un petit détour réflexif qui constituera la dernière chicane de notre parcours argumentatif.

Dans un essai captivant[10] ayant pour point de départ une strophe fameuse du poète grec Archiloque — « Le hérisson sait quelque chose d'important, mais le renard sait beaucoup de choses —, Isaiah Berlin établissait une distinction instructive, de nature didactique bien sûr, entre deux types de personnalités qu'il caractérisait ainsi : d'un côté, écrivait le regretté professeur d'Oxford, se trouvent ceux qui croient en un principe universel auquel tout se rapporte, qui perçoivent le monde à travers ce principe organisateur et qui (co)ordonnent leur vie en conséquence, c'est-à-dire en fonction d'une vision centrale et cohérente, unitaire et systémique, générale et finaliste des choses ; de l'autre, il y a ceux qui poursuivent en même temps plusieurs buts ou finalités et qui réconcilient leurs visées multiples, parfois opposées et souvent paradoxales, dans une démarche dont les principes ne sont pas constants, mais qui trouve son sens dans les circonstances du moment. Sans dénigrer ou exalter l'un ou l'autre type, Berlin, à la suite d'Archiloque, apparentait les premiers à des « hérissons » et qualifiait les seconds de « renards ».

Il pourrait être intéressant d'user de cette allégorie animalière pour caractériser les Québécois. À n'en pas douter, ceux-ci, comme collectivité, se sont jusqu'ici comportés comme des renards et ne semblent pas, au moment d'écrire ces lignes, sur le point de changer de condition. Mais c'est comme des hérissons qu'ils se sont toujours vus parce que c'est ainsi qu'on les a dépeints et sur ce mode également que leur référence a été principalement construite par les générations de penseurs qui se sont penchés sur leur sort et l'ont pleuré.

Alors que, pour avancer empiriquement dans la réalité de l'histoire, les Québécois ont toujours apporté des réponses ponctuelles, prudentes et réfléchies aux questions circonstancielles et de portée limitée par lesquelles ils colonisaient leur devenir — et sur cette base créaient des brèches par où ils passaient vers l'ailleurs —, une grande partie des intellectuels de cette collectivité ont toujours considéré que le destin du groupement se jouerait de manière dramatique, dans une finale décisive et heureuse, au moment où une réponse globale et définitive serait apportée à une question fondamentale et unilatérale. Aux yeux de ces penseurs, si les Québécois voulaient *vraiment* passer à l'avenir et se réaliser comme il se doit, il leur fallait rien moins que remonter dignement et fièrement la grande avenue de l'Histoire et cesser d'emprunter, pour atteindre le firmament des nations, les ruelles, venelles, bretelles, passerelles, échelles et autres allées ou voies parallèles à l'autoroute du destin normal des collectivités.

Peut-on transformer un renard en hérisson ? Il semble que les savants — historiens, politologues, sociologues, littéraires et autres experts — échouent encore à la tâche d'imposer pareille métamorphose à leur Sujet de prédilection. Évidemment, rien n'interdit d'imaginer qu'ils y arriveront un jour, si tant est que la chose soit souhaitable et que le Sujet accepte finalement de muter plutôt que de muer. Entre-temps, il faudrait peut-être accepter que l'attitude du renard fait sens aussi et qu'elle est loin d'être défavorable à celui qui l'adopte. Car le hérisson, fort de son savoir certifié et de son plan détaillé, est inexorablement lié à sa vérité au point d'être littéralement emprisonné dans la geôle de l'historicité magnifiée qu'il se crée. Alors que le renard, libéré de la nécessité de suivre les sentiers désignés et les stratégies héritées, peut se laisser guider par son humeur du moment et gambader à son gré, dans le pré de l'histoire transformé en allée personnalisée, sur les airs qui l'auront contenté, qu'il aura appréciés ou qu'il se sera composés pour agrémenter sa destinée.

Petit glossaire conceptuel

On trouvera ici la définition précise, archétypale, de quelques concepts utilisés dans l'argumentation de l'ouvrage. Il va de soi que la réalité historique et l'agir concret des acteurs sont toujours plus complexes que ce que des concepts peuvent en révéler.

Canadianité : Projet/processus de construction du pays dans la reconnaissance et la valorisation de ses dissonances constitutives. S'élève sur la référence identitaire des anciens Canadiens. Ne fléchit pas sous le régime anglais (désir de construction, par la majorité des Canadiens, d'une société politique distincte et intégrée, avec et contre l'Autre). Se consolide comme projet à l'époque de l'Acte d'Union. S'institue avec la Confédération. Reste dominant dans le paysage politique québécois jusqu'à la Révolution tranquille. Reste présent dans le paysage politique canadien jusque vers la fin des années 1960.

Canadianisation : Projet/processus de construction du pays « par le haut » en vue d'en faire un État-nation unitaire.

S'amorce avec la Confédération. Porté par les canadianisants. Présent depuis 1867 dans le paysage politique canadien. Peu répandu au Québec.

Canadiennisation/Canadienneté : Projet/processus de (re)-construction du Canada comme société multiculturelle où l'esprit civique dame le pion aux logiques ethniques, où des droits basiques sont institués dans une charte fondamentale, où la citoyenneté et la liberté individuelle sont rehaussées par rapport à la nationalité culturelle et l'identité collective. Notamment promu par Pierre Trudeau. Porté par les canadiennisants. Présent dans le paysage politique canadien depuis le début des années 1970. Soutenu par des Québécois.

Canadianisant : Porteur du projet de canadianisation du pays.

Canadianiste : Porteur du projet de canadianité du pays.

Canadiennisant/Canadienniste : Porteur du projet de canadiennisation du pays.

Québécité : Projet/processus de (re)construction du Québec qui se développe en réaction, voire en opposition, au projet/processus de canadianisation du pays. Variante actualisée de l'idée de canadianité, profondément investie par la référence québécoise. Prend son élan à l'époque de la Révolution tranquille. Reste présente depuis lors dans le paysage politique québécois. Porté par les québécistes.

Québécisation : Projet de (re)construction du Québec basé sur l'idée de la souveraineté politique (indépendance). Paradigme alternatif à celui de la canadianisation ou à celui de la canadiennisation du Canada. Démarche de fondation d'une citoyenneté québécoise autour de la seule référence québécoise (conceptualisée dans la pluralité de ses identités composites). Porté par les québécisants. Présent dans le paysage politique québécois, comme horizon possible et effectivement opérationnel, depuis la fin des années 1960.

Québécitude : Projet romantique de définition du Québec comme pays et nation à l'aune de ses seules racines historiques, de sa tradition, de son héritage séculaire, de son essence immuable et de sa mémoire inaltérable. Encore présent dans le paysage politique québécois. Peu répandu sans être tombé en désuétude.

Québéciste : Porteur du projet de québécité.

Québécisant : Porteur du projet de québécisation.

Remerciements

Je sais gré à Damien-Claude Bélanger, Michel Ducharme, Dominique Foisy-Geoffroy, Jacques Godbout et Martin Pâquet de leurs commentaires sur le manuscrit de l'ouvrage. Marc Collin a contribué d'une façon particulière à l'amélioration du texte sur le plan de la forme et sur celui du fond. Comme d'habitude, Esther Ross, mon épouse, fut ma critique la plus exigeante et inspirante. Je reste cependant le seul responsable de tout ce qui est écrit dans le livre.

Depuis plusieurs années, le Conseil de recherches en sciences humaines du Canada finance mes activités scientifiques. Cet ouvrage découle des travaux réalisés à l'aune de plusieurs projets subventionnés qui, d'une certaine manière, trouvent en ces pages une expression synthétique. Il profite également de mon association pendant cinq ans au grand travail de recherche concerté, dirigé par Pierre Ouellet, sur le thème « Le Soi et l'Autre ».

Enfin, ce livre s'inscrit dans le cadre du programme scientifique de la Chaire de recherche du Canada que j'occupe à l'Université Laval et dont l'un des objectifs est d'explorer de nouvelles voies pour rendre compte de la condition québécoise dans le temps.

Notes

OUVERTURE

1. Dans ce livre, nous parlons des Québécois d'héritage canadien-français comme d'un groupement par référence, au sens que Fernand Dumont donne à ce concept, lequel s'apparente à celui de nation historique. C'est dans son ouvrage intitulé *Genèse de la société québécoise* (Montréal, Boréal, 1993) que le regretté sociologue a notamment développé cet outil de description et d'analyse.

DE LA COMPLICATION POLITIQUE QUÉBÉCOISE

1. Fernand Dumont, *op. cit.* ; Jacques Beauchemin, *L'Histoire en trop : la mauvaise conscience des souverainistes québécois*, Montréal, VLB, 2002 ; Joseph Yvon Thériault, *Critique de l'américanité : mémoire et démocratie au Québec*, Montréal, Québec-Amérique, 2002.
2. À ce sujet, voir Anne Trépanier, « La permanence de la refondation dans l'imaginaire et l'identitaire politiques des Canadiens, de la Nouvelle-France au Canada moderne », thèse de doctorat, département d'histoire, Université Laval, 2005.

À L'ÉPOQUE DE LA NOUVELLE-FRANCE

1. Pour des exemples éloquents de pareille critique, voir Réal Ouellet, Alain Beaulieu et Mylène Tremblay, « Identité québécoise, permanence et évolution », dans *Les Espaces de l'identité,* sous la dir. de Laurier Turgeon, Jocelyn Létourneau et Khadiyatoulah Fall, Québec, Presses de l'Université Laval, 1997, p. 62 et suivantes.

DE LA CONQUÊTE AUX RÉBELLIONS

1. Yvan Lamonde, *Histoire sociale des idées au Québec, 1760-1896,* Montréal, Fides, 2000, p. 49.
2. À l'encontre des Américains qui, à partir d'un certain moment, ont commencé à percevoir l'Angleterre comme une mère prédatrice qu'ils vaincraient avec l'aide de Dieu, les Canadiens ont toujours considéré Britannia comme une mère protectrice qui les défendrait contre les tourments du monde, voire contre les excès et les abus de ses autres sujets, y compris ceux de ses représentants au Canada.
3. Dans l'attitude générale de la population canadienne devant les invasions américaines de 1775 et de 1812, dont le moins que l'on puisse dire est qu'elle fut ambivalente (ni complètement pour les Britanniques ni complètement contre les Américains), il faut voir l'expression d'une fidélité opportuniste et conditionnelle des Canadiens à l'égard de la Couronne — fidélité dont la devise pourrait être la suivante : Se faire Britannique en tant que Canadien, dans le renforcement du Canada et l'épanouissement de la canadianité.

LES RÉBELLIONS

1. Aux élections de 1834, le Parti patriote remporte 77 des 88 sièges de la Chambre d'assemblée.
2. Selon l'époque et la conjoncture, ces moyens incluent les récrimi-

nations directes contre le Conseil exécutif adressées au gouverneur, la paralysie des travaux à la Chambre d'assemblée, les pétitions et ambassades à Londres devant le Parlement britannique, les assemblées populaires légales (ou illégales après la proclamation de Gosford en juin 1837) et le boycottage des produits importés d'Angleterre.

3. Un tel refus était absolument prévisible compte tenu du fait que l'Angleterre ne pouvait accorder à sa colonie un système politique, celui de la démocratie populaire et représentative, qui n'était pas le sien. Ce n'est en effet qu'au début des années 1840 que, dans un certain sens, le premier ministre devient en Angleterre l'élu du peuple et peut en appeler directement de l'électorat s'il perd la majorité. Voir à ce sujet Charles-Marie Boissonneault, « Naissance du régime parlementaire », *Revue de l'Université Laval,* vol. 4, nº 1 (septembre 1949), p. 15.
4. À ce sujet, voir Gérard Bouchard, *Genèse des nations et cultures du Nouveau Monde : essai d'histoire comparée,* Montréal, Boréal, 2000 ; Louis-Georges Harvey, *Le Printemps de l'Amérique française,* Montréal, Boréal, 2005 ; Marcel Bellavance, *Le Québec au siècle des nationalités, 1791-1918 : Essai d'histoire comparée,* Montréal VLB, 2004.
5. Écoutons Étienne Parent pester contre la radicalisation patriote et sa rhétorique de la nécessité historique : « Que les chaînes nous soient données par les nôtres ou par des étrangers, ce sont toujours des chaînes. Nous n'avons pas repoussé l'oppression d'un Dalhousie ou d'un Aylmer pour accepter aujourd'hui des fers des mains du Comité central, ni de qui que ce soit. » Cité dans Lamonde, *op. cit.*, p. 238.
6. Étienne Parent, *Discours,* éd. critique par Claude Couture et Yvan Lamonde, Montréal, Presses de l'Université de Montréal, 2000. Voir en particulier l'introduction, p. 7-84.
7. La devise du journal *Le Canadien,* dirigé par Parent, n'est-elle pas depuis mai 1831 « Nos institutions, notre langue et nos lois » ?
8. Ce désespoir caractérise de nombreux paysans qui, depuis le début des années 1830, subissent de plein fouet les aléas d'une crise agraire persistante pour laquelle ils cherchent des boucs émissaires. Leur mobilisation aux fins de l'utopie patriote est dès lors

facilitée, d'autant plus qu'il existe parmi eux une certaine tradition de radicalisme. Mentionnons par ailleurs que toutes sortes de raisons, ayant souvent peu à voir avec les grands idéaux patriotes mais bien davantage avec des contentieux locaux, personnels ou circonscrits, ont poussé de nombreux habitants à se soulever dans les campagnes. Il semble en fait que le mouvement patriote ait offert, à bien des individus en panne d'horizon, d'émancipation ou de promotion, un tremplin où placer leurs aspirations en vue d'améliorer leur chance de statut social. Sur tous ces aspects moins épiques ou peu glorieux des insurrections, voir Alan Greer, *Habitants et Patriotes : la rébellion de 1837 dans les campagnes du Bas-Canada*, Montréal, Boréal, 1997 ; Gilles Laporte, *Patriotes et Loyaux : leadership régional et mobilisation politique en 1837 et 1838*, Sillery, Septentrion, 2004.

9. Il s'agit d'une facette du mouvement patriote sur lequel on insiste peu. La vérité est que si, dans les campagnes du Bas-Canada, le clergé a tenté d'empêcher la participation des habitants aux soulèvements, ces mêmes habitants ont souvent été victimes de pressions, voire de chantage, de la part des insurgés pour se battre à leurs côtés. Ce type d'action fut particulièrement répandu en 1838 au moment où les insurrections sont orchestrées et dirigées par un mouvement paramilitaire qui se veut secret : les Frères Chasseurs.

10. Une nuance s'impose ici : les rapports qu'une partie des Canadiens entretiennent à l'égard des Patriotes radicaux sont de l'ordre, disons, de l'inclination réservée ou de la neutralité non indifférente. En clair, s'il n'est pas question pour la majorité des Canadiens d'endosser la stratégie politique des rebelles ou de les appuyer dans leur action, il n'est pas question non plus de les condamner ou de les abandonner à leur sort. Cette espèce d'empathie tempérée ou de sympathie distante des Canadiens envers les insurgés, jugés blâmables dans leur entreprise mais tout de même considérés « Nôtres » contre l'« Autre », permet de comprendre pourquoi les chefs rebelles ont été traduits devant une cour martiale plutôt que civile au terme des soulèvements. Il eut été en effet naïf d'espérer, le cas échéant, qu'un jury formé de Canadiens condamne les insurgés. Aux yeux de l'opinion publique, la défaite

des rebelles transforma en quelque sorte les révoltés en victimes. C'est un truisme de le dire, on épouse très tôt chez nous, et souvent sans grand esprit critique, la cause des victimes...

11. On pourrait soulever ici une question (im)pertinente : aurait-on pu éviter les rébellions ? Il semble en fait que ni le gouvernement britannique, ni le gouvernement colonial, ni la population ne désiraient un bain de sang, bien que la possibilité d'une guerre civile soit lucidement appréhendée par plusieurs. Sans vouloir diminuer le caractère éprouvant du contexte politique vécu par les Canadiens, il est clair que le manque de jugement politique des uns (Patriotes ou Loyaux), le radicalisme des autres, la précipitation des troisièmes, la présence dans le décor de groupes extrémistes et les exhortations enflammées des gazettes probritanniques ou procanadiennes ont ensemble créé une situation dans laquelle, à partir d'un certain moment, les radicaux, quel que soit leur clan, définissaient la conjoncture et empêchaient de ce fait toute possibilité pour les parties de se retirer honorablement du litige qui, pour tous, devenait un cul-de-sac. Que, dans les circonstances, il y ait eu soulèvements spontanés ne surprendra pas. Cela dit, un élément doit être ajouté : il n'est pas sûr que les révoltes, théoriquement possibles, se seraient effectivement produites si le gouverneur de la colonie, lord Gosford, n'avait ordonné à l'armée, menée par l'intransigeant Colborne, de recourir à la force et de mettre aux arrêts des Patriotes pour prévenir tout acte appréhendé de sédition, d'insubordination ou d'insurrection. Comme l'expose justement Yvan Lamonde (*op. cit.*, p. 276), l'action rebelle se manifesta sur le mode d'une résistance inorganisée bien plus qu'elle ne prit la forme d'une série d'attaques préméditées. Cela signifie que les Patriotes commirent leurs assauts *en réaction* à ceux qu'ils subirent dans le cadre de la loi martiale imposée et à la suite des exactions perpétrées par des bandes paramilitaires anglophones. De même, jusqu'à ce que l'armée passe aux actes, c'est sur le mode constitutionnel des résolutions, et non sur le mode illégal des agressions, que les Patriotes ont exprimé leurs revendications et leur mécontentement (p. 231). De nouveau, cette démarche traduit leur volonté conciliante plutôt que leur ambition révolutionnaire.

DE L'ACTE D'UNION À LA CONFÉDÉRATION

1. Nous disons bien « apparente », car l'étude minutieuse des délibérations au sein du Parlement britannique laisse voir que le gouvernement de Sa Majesté était au fond assez hésitant et incertain, voire désintéressé, dans ses décisions relativement à la question canadienne, surtout si on compare à l'époque le cas du Canada à celui de l'Irlande. À ce sujet, voir Ged Martin, *Britain and the Origins of Canadian Federation,* Vancouver, University of British Columbia Press, 1995 ; Garth Stevenson, *Parallel Paths : the Development of Nationalism in Ireland and Quebec,* Montréal/Kingston, McGill-Queen's University Press, 2006.
2. Bien qu'il ait été restauré dans ses droits comme langue parlementaire en 1849, le français était déjà employé en Chambre depuis 1842. À noter que, dès 1843, nombreux étaient ceux qui, à Londres, ne croyaient plus du tout aux vertus ou même à la possibilité d'une anglicisation des Canadiens (français).
3. Cela dit, la concurrence reste vive en ce qui touche à la distribution des postes de fonctionnaires au sein de l'administration publique du Canada-Uni. Rapidement, les francophones se plaignent du fait que plus (voire trop) de postes sont occupés par des anglophones. Il n'est pas long avant que l'administration du pays se mette à fonctionner concrètement sur la base d'une espèce de dualité opérationnelle et concurrentielle. À ce sujet, voir J.E. Hodgetts, *Pioneer Public Service : An Administrative History of the United Canada, 1841-1867,* Toronto, University of Toronto Press, 1955.
4. Papineau revient de son exil américain et européen en 1845. Il est élu député aux élections de janvier 1848 et entre à l'Assemblée législative du Canada-Uni en mars de la même année. Il se fait fort de rétablir son honneur politique terni par ses ennemis politiques ou anciens frères d'armes. Il reprend le flambeau de la lutte nationale en suggérant, comme meilleur avenir possible pour sa patrie, l'horizon du républicanisme, voire l'annexion aux États-Unis.
5. Mentionnons également le fait que le Conseil exécutif restait composé de membres nommés et non pas élus. Ce n'est qu'en 1853 que le Conseil devient électif.

6. Selon l'expression de Joseph-Édouard Cauchon, directeur du *Journal de Québec*, quotidien proréformiste. Cité dans Lamonde, *op. cit.*, p. 304.
7. Il importe de préciser ce que nous entendons ici par « conservateur », de manière que le lecteur ne se méprenne pas sur nos intentions. Ainsi, le conservateur n'est pas un réactionnaire. Il se distingue du libéral par son rapport inquiet au temps et au monde. S'il croit en une amélioration pratique des choses, il refuse d'en finir une fois pour toutes avec la tradition, le principe d'autorité, celui de hiérarchie et celui de subsidiarité. Changer le système, pour le conservateur, c'est prendre le risque de briser un équilibre fragile acquis à coups de compromis éclairés et de choix dictés par le bon sens. Aux yeux du conservateur, la loi seule est inapte, dans ses prétentions et prescriptions anonymes, à assurer la cohésion sociale. Pour préserver la communauté de toute dérive ou dégradation, il faut, selon le conservateur, un ciment social plus puissant qui se trouve notamment dans le religieux et les principes moraux contenus dans la religion. Au dire du conservateur, ces principes, exprimés dans la doctrine sociale de l'Église, viennent colmater l'absence de vertu laissée par la froide raison des lois et permettent au peuple de devenir meilleur. Pour une étude approfondie et subtile du conservatisme au Québec au milieu du XIXe siècle, voir Éric Bédard, « Le moment réformiste : unité, prospérité et morale dans le discours conservateur canadien-français au milieu du XIXe siècle », thèse de doctorat, département d'histoire, Université McGill, 2004.
8. Porteurs enflammés de la cause canadienne-française, cette fois pour la sanctifier au nom du droit de Dieu à gouverner ses brebis plutôt qu'au nom du droit des Peuples à disposer de leur destin, les ultramontains, bruyants et intimidants mais rarement dominants dans l'orientation générale de la société, échoueront dans leurs visées extrémistes. Les menaces d'excommunication proférées par les patriotes de Dieu ne seront pas plus efficaces que les harangues prononcées par les patriotes de l'Indépendance pour amener les Canadiens à se ranger du côté d'un projet radical de recommencement collectif. En pratique, ces derniers appuieront les positions des modérés, celles des ecclésiastiques (un Mgr Taschereau, par

exemple) tout autant que celles des politiques. S'il est clair que les ultramontains ont empêché le libéralisme « radical » d'avoir droit de cité à la mesure des prétentions d'un Dessaulles, par exemple, ils ont été impuissants à faire de la société québécoise ce qu'ils voulaient qu'elle soit. Dans les années 1870, les ultramontains ne sont plus qu'un géant aux pieds d'argile.

9. Dans un article devenu fameux, Ronald Rudin avait formulé la thèse selon laquelle l'historiographie québécoise des années 1970 et 1980 s'était attachée à normaliser, sur le plan du développement matériel suivi et de son passage à la modernité, le parcours historique du Québec et des Québécois, manière d'en finir avec l'image du retard, du déphasage et de l'anormalité générale connus par ce développement et cette transition. Par rapport à la thèse de la normalisation, Rudin s'était montré fort critique en rappelant que, jetant le bébé avec l'eau du bain, ses tenants négligeaient complètement les particularités pourtant évidentes du développement historique de la société québécoise, notamment le rôle joué par l'Église dans la structuration et l'orientation générales de cette société. Voir Ronald Rudin, « Revisionism and the Search for a Normal Society: A Critique of Recent Historical Writing », *Canadian Historical Review,* vol. 68, n° 1 (1992), p. 30-61.
10. Le rappel de cet endossement populaire — majoritaire plutôt qu'unanime, bien sûr — est important, car il existe dans l'historiographie québécoise une tendance à nier le fait que la société québécoise a été au fond conservatrice, réformiste et conciliante, trois caractéristiques qui ne cadrent pas avec la représentation politico-identitaire que l'on donne de cette société ou que l'on s'en fait habituellement. De cette difficulté épistémologique et politique à penser le Québec comme il est découlent d'ailleurs certains problèmes importants. C'est ainsi que les Québécois ne sont jamais vraiment responsables des choix qu'ils font ou qu'ils entérinent. Ces choix leur sont ou infligés de l'extérieur par des maîtres ou des dominateurs, ou imposés de l'intérieur par des traîtres ou des vendus. Dans tous les cas, les Québécois sont inévitablement martyrs des Autres ou victimes d'Eux-mêmes et donc détournés de leur destin, cela par suite de leur inconscience, de leur naïveté, de leur

éducation politique insuffisante, de leur mémoire historique déficiente, etc. Pour des exemples de ce genre d'argumentation, voir Stéphane Kelly, *La Petite Loterie : comment la Couronne a obtenu la collaboration du Canada français après 1837,* Montréal, Boréal, 1997 ; Gérard Bouchard, *La Pensée impuissante : échecs et mythes nationaux canadiens-français, 1850-1960,* Montréal, Boréal, 2004 ; Claude Bariteau, *Québec, 18 septembre 2001 : le monde pour horizon,* Montréal, Québec-Amérique, 1998.

DE LA CONFÉDÉRATION À LA RÉVOLUTION TRANQUILLE

1. Le rapport à la Grande-Bretagne, et plus largement à l'Empire britannique, demeure fondamental quant à la vision que les Canadiens français se font à l'époque de leur identité et de leur devenir.
2. Arthur Silver, *The French-Canadian Idea of Confederation, 1864-1900,* Toronto, University of Toronto Press, 1982.
3. Pour certains Ontariens excessifs et tapageurs, proches du mouvement orangiste, cette loi fut interprétée à l'aune du mythistoire WASP de « la francité envahissante et de l'agressif catholique ».
4. Kenneth McRoberts, « Cultures, Languages, and Nations : Conceptions and Misconceptions », *Constitutional Forum constitutionnel,* 13/3, 14/1, 2005, p. 36-47.
5. On se souvient de son discours célèbre : « Le libéralisme politique », prononcé le 26 juin 1877.
6. On pourrait certainement associer au groupe des canadianisants les T. D. Bouchard et Jean-Charles Harvey. Cela dit, leur perspective, celle de Harvey notamment, est originale à maints égards en ce qu'elle vise à dépasser l'idée de canadianité dans une espèce de conception du Canada qui préfigure par certains aspects le projet de canadienneté* de Pierre Trudeau. Quant à Paul-Émile Borduas et aux auteurs du *Refus global,* ils sont carrément ailleurs. Bien qu'on ait essayé de récupérer leur pensée et leur initiative au profit de bien des causes, notamment celle de la Révolution tranquille et celle de l'émancipation nationale des Québécois, leur cheminement les situe en marge de la stricte modernité ou de la simple

québécité, du côté d'une universalité en opposition, voire en contradiction, avec les prés carrés de l'identité.

7. Dans les années qui suivent la Confédération, il est toujours des acteurs qui flirtent avec l'idée d'annexer le Québec aux États-Unis comme moyen de refonder le groupement. Porté par les « Rouges » durant un moment, ce projet inspire bien peu de gens et reste marginal dans le paysage politique de la province.
8. On se rappellera que le *Ô Canada* fut au départ composé comme un chant patriotique pour le compte de la Société Saint-Jean-Baptiste. Ses paroles renvoient directement à l'espace référentiel canadien-français, avec une insistance particulière sur les origines (nouvelles-) françaises du peuple canadien. Ce n'est qu'en juillet 1980 que le chant reçoit le statut officiel d'hymne national du Canada. Précisons que le texte anglais de l'hymne, maintes fois modifié au XXe siècle, est singulièrement différent du texte en français.
9. On se rappelle l'appui donné sous forme de pétition par 450 000 personnes à la motion proposée par Armand Lavergne, en 1908, voulant que la langue française soit davantage utilisée dans la vie parlementaire canadienne et dans les services publics de compétence fédérale.
10. On se souvient de l'alliance conclue dans les années 1880 entre Oliver Mowat et Honoré Mercier, premiers ministres respectifs de l'Ontario et du Québec, œuvrant à l'unisson pour obtenir du gouvernement fédéral qu'il respecte l'esprit et la lettre de la Constitution de 1867.
11. Le fait que l'identification et l'allégeance premières des Canadiens français du Québec ne soient pas canadiennes ne semble pas gêner les intéressés, compte tenu que cette identification et cette allégeance ne sont pas non plus extra-canadiennes, ce qui n'est pas le cas des canadianisants réputés britannistes au fond. Ô subtilité de l'étiquetage identitaire…

LA RÉVOLUTION TRANQUILLE

1. Droit de retrait d'une province d'un programme fédéral com-

pensé, sur le plan financier, par l'octroi de points d'impôt ou de transferts de fonds fédéraux.

2. Voir son livre *Option Québec*, Montréal, Éditions de l'Homme, 1968.
3. Pierre Godin, *L'Homme brisé*, t. 4 de *René Lévesque*, Montréal, Boréal, 2005.
4. Sur l'intérêt manifesté par Trudeau à l'égard de cette métaphore que lui avait proposée son conseiller Claude Lemelin, voir André Burelle, *Pierre Elliott Trudeau, l'intellectuel et le politique*, Montréal, Fides, 2005, p. 128.
5. Parler de postnationalisme pour qualifier la pensée de Trudeau sur le devenir souhaitable de l'État-nation, une réalité historique qui le gênait à bien des égards et qu'il considérait comme datée, est audacieux. En fait, lui-même n'a jamais usé de ce terme. Trudeau était à la recherche, pour le bénéfice des Canadiens, d'un mode d'être ensemble qu'il ne voulait pas fondé sur les logiques communautaristes et nationalistes traditionnelles. Il souhaitait amener les Canadiens à construire une société dont les fondements et les horizons ne seraient plus strictement ceux de l'État-nation classique. Trudeau n'était pas postnational au sens où il niait l'existence des nations. Il était postnational en ce qu'il entendait refonder le principe des nationalités — et de nationalité canadienne en particulier — sur un socle qualitativement différent de celui auquel les sociétés s'étaient habituées et que lui trouvait étroit, glissant et inconfortable. La citation suivante, tirée d'un discours rédigé par André Burelle et prononcé par Trudeau le soir du référendum de 1980, rend compte de ses vues : « Il nous appartient comme Canadiens, dit Trudeau, de montrer une fois de plus à l'humanité entière que nous ne sommes pas les derniers colonisés de la terre, mais les premiers affranchis du vieux monde des États-nations. »
6. À ce sujet, voir Burelle, *op. cit.*, p. 67.
7. On sait que cette position de départ sera par la suite abandonnée par Trudeau. N'en faisant qu'à sa tête et se liguant avec ceux qui voulaient bien le suivre dans son projet de réforme de la Constitution, celui-ci se raidit jusqu'à l'intransigeance, malgré le spectre d'un échec de la conférence constitutionnelle de septembre 1980.

8. En fait, la loi constitutionnelle de 1982 de même que la Charte canadienne des droits et libertés contiennent plusieurs articles qui reconnaissent *de facto* (et dès lors *de jure*) la diversité canadienne, y compris la dualité linguistique du pays et le caractère distinct du Québec dans l'ensemble canadien.

LE MOMENT RÉFÉRENDAIRE DE 1995

1. À noter que, si l'on inclut le référendum de Charlottetown, tenu le 26 octobre 1992, c'est par trois fois en quinze ans plutôt que deux que les Québécois se prononcent sur leur avenir politico-constitutionnel.
2. Pendant les premières semaines de la campagne référendaire, les sondages indiquent un écart de 10 points de pourcentage en faveur de l'appui au NON (45 % contre 55 %). C'est vers la fin du mois de septembre que l'écart s'amincit. À partir du 13 octobre, soit une semaine après que Lucien Bouchard eut été désigné porte-parole principal du camp du OUI, cette option ne cesse d'accentuer son avance. Le dernier sondage publié dans le *Journal de Montréal*, le 28 octobre 1995, fait état des résultats suivants : pour le OUI, 53 % ; pour le NON, 47 %. Voir à ce sujet Édouard Cloutier et Yann Strutinski, « L'opinion publique québécoise », dans *L'Année politique au Québec, 1995-1996* [en ligne] www.pum.umontreal.ca/apqc/95_96/cloutier/cloutier.htm
3. Mario Cardinal, *Point de rupture : Québec/Canada — Le référendum de 1995*, Montréal, Société Radio-Canada/Bayard, 2005.
4. On se rappelle que cette ambivalence, soit l'idée d'être souverain et partenaire en même temps, était expressément ressortie de la grande consultation publique menée, entre le 6 février et le 5 mars 1995, dans le cadre des commissions régionales sur l'avenir du Québec.
5. On pourrait décrire Bouchard comme étant animé d'une passion raisonnée alors que Parizeau, lui, fait preuve davantage de raison passionnée. Il semble que les Québécois préfèrent la première attitude à la seconde…

6. Plus précisément, sur 5 087 009 personnes habilitées à voter, 4 757 509 d'entre elles, soit 93,52 %, se sont prévalues de leur droit de vote. Le NON a récolté 50,58 % de ces votes, contre 49,42 % pour le OUI. D'après les spécialistes, 5 % des anglophones et des allophones ont appuyé le OUI. Chez les francophones, cet appui serait de l'ordre de 60 %, ce qui signifie qu'à peu près un million et demi de francophones ont voté pour le NON. Données tirées de Mario Cardinal, *op. cit.*, p. 407-408.
7. Sur cette question, voir Marc Collin, « Autour de Chénier : les rébellions et la conscience historique canadienne et québécoise », thèse de doctorat, département d'histoire, Université Laval, 2006, chap. 4.
8. On se souvient de la déclaration solennelle prononcée le 22 juin 1990 par Robert Bourassa à l'Assemblée nationale du Québec, déclaration réitérée par tous les premiers ministres du Québec depuis : « Le Canada anglais doit comprendre de façon très claire que, quoi qu'on dise ou quoi qu'on fasse, le Québec est, aujourd'hui et pour toujours, une société distincte, libre et capable d'assumer son destin et son développement. »

LES ONZE DERNIÈRES ANNÉES

1. Les travaux que nous avons menés sur la conscience historique des jeunes Québécois soutiennent amplement cette vision des choses.
2. Gilles Gagné et Simon Langlois, *Les Raisons fortes : nature et signification de l'appui à la souveraineté du Québec*, Montréal, Presses de l'Université de Montréal, 2002.
3. Sylvie Fortin, « Citoyennetés et appartenances en situation de migration », *Les Cahiers du GRES*, vol. 2, nº 1 (automne 2001) ; Julie Mareschal, « Pratiques citoyennes des immigrants et réfugiés Kabyles à Montréal : à l'ombre du printemps noir », mémoire de maîtrise, département d'anthropologie, Université Laval, 2003 ; Ève Ste-Marie, « Maghrébines montréalaises : les stratégies identitaires des jeunes filles d'origine marocaine, algérienne et tunisienne à Montréal », mémoire de maîtrise, département d'anthropologie, Université Laval, 2000.

4. Martha Radice, *Feeling Comfortable ? Les Anglo-Montréalais et leur ville*, Sainte-Foy, Presses de l'Université Laval, 2000.
5. Christophe Traisnel, « Nationalism of Protest : the Role of Nationalist Movements in the Political Construction of Wallon and Quebec Identities in Belgium and Canada », thèse de doctorat, département de science politique, Université de Montréal, 2005.
6. Lire le commentaire fort lucide de Chantal Hébert, publié juste avant les élections fédérales de janvier 2006 : « La bataille du Québec (prise 2) », *Le Devoir*, 9 janvier 2006, p. A3.
7. Voir « Allocution à l'occasion de la démission du premier ministre du Québec, M. Lucien Bouchard », [en ligne] www3.sympatico.ca/albert.davoine/archives/bouchard.htm
8. Cet avis, intitulé *Renvoi relatif à la sécession du Québec* [1998, R.C.S. 217], a été rendu public le 20 août 1998. Puisqu'il s'agit d'un avis, sa valeur n'est que suggestive et non exécutoire. Tiré du renvoi, l'extrait suivant donne la mesure de la position de la Cour :
   « Le Québec ne pourrait, malgré un résultat référendaire clair, invoquer un droit à l'autodétermination pour dicter aux autres parties à la fédération les conditions d'un projet de sécession. Le vote démocratique, quelle que soit l'ampleur de la majorité, n'aurait en soi aucun effet juridique et ne pourrait écarter les principes du fédéralisme et de la primauté du droit, les droits de la personne et des minorités, non plus que le fonctionnement de la démocratie dans les autres provinces ou dans l'ensemble du Canada. Les droits démocratiques fondés sur la Constitution ne peuvent être dissociés des obligations constitutionnelles. La proposition inverse n'est pas acceptable non plus : l'ordre constitutionnel canadien existant ne pourrait pas demeurer indifférent devant l'expression claire, par une majorité claire de Québécois, de leur volonté de ne plus faire partie du Canada. [...]
   Les autres provinces et le gouvernement fédéral n'auraient aucune raison valable de nier au gouvernement du Québec le droit de chercher à réaliser la sécession, si une majorité claire de la population du Québec choisissait cette voie, tant et aussi longtemps que, dans cette poursuite, le Québec respecterait les droits des autres. Les négociations qui suivraient un tel vote porteraient sur l'acte

potentiel de sécession et sur ses conditions éventuelles si elle devait effectivement être réalisée. Il n'y aurait aucune conclusion prédéterminée en droit sur quelque aspect que ce soit. »

9. Chaque fois qu'un auteur — pensons à Reed Scowen, David Bercuson et Barry Cooper, William Johnson, Diane Francis ou Mel Hurtig — a explicitement plaidé pour que le Canada se sépare du Québec (et non l'inverse), les Québécois furent froissés, choqués, offusqués, voire insultés…
10. Voir son ouvrage intitulé *Quebec National Cinema*, Montréal/Kingston, McGill-Queen's University Press, 2001, chap. 1.
11. Le concept de ligne de fuite est central chez Deleuze. Il revient dans plusieurs de ses ouvrages.
12. Dans son ouvrage intitulé *Le Défi français : Regards croisés sur la France et le Québec* (Québec, Septentrion, 2006), Christian Dufour va un peu dans le même sens. Voir aussi l'article très éloquent de Patrick Plumet (« À mon collègue Alain Juppé : Pourquoi ne pas rester ? ») publié dans *Le Devoir*, 4 avril 2006, p. A7. Voir enfin le numéro spécial de la revue *Liberté* (n° 270, vol. 47, n° 4, novembre 2005), dirigé par Fulvio Caccia sur le thème suggestif : « Paris se montréalise-t-il ? ».
13. Nicolas Baverez, *La France qui tombe*, Paris, Perrin, 2003.

LA SUITE POSSIBLE

1. C'est la thèse de son livre maître : *Genèse de la société québécoise*, *op. cit.*
2. À ce sujet, voir Yvan Lamonde, *Allégeances et Dépendances : l'histoire d'une ambivalence identitaire*, Québec, Nota Bene, 2001.
3. Christian Poirier, *Le Cinéma québécois : à la recherche d'une identité*, Sainte-Foy, Presses de l'Université du Québec, 2004.
4. Pour une perspective qui s'apparente à la nôtre, voir Simon Harel, *Braconnages identitaires : un Québec palimpseste*, Montréal, VLB/Le Soi et l'Autre, 2006.
5. Il m'apparaît que dans son livre *L'Identité fuyante : essai* (Montréal, Les Herbes rouges, 2004), Michel Morin va dans le même sens.

6. À ce sujet, voir le numéro spécial de la revue *Cités* (23, 2005) que nous avons codirigé avec Sabine Choquet sur le thème « Le Québec, une autre Amérique : dynamismes d'une identité ».
7. Jacques Beauchemin, « La souveraineté au nom de la mémoire », dans *Redonner sens à l'indépendance*, publié sous l'égide des Intellectuels pour la souveraineté, ouvrage dirigé par Jocelyne Couture, Montréal, VLB, 2005, p. 19-35.
8. Fernand Dumont, *Raisons communes*, Montréal, Boréal, 1997 [1995], chap. 11. Voir le commentaire que nous avons commis sur les positions du sociologue dans *Passer à l'avenir*, Montréal, Boréal, 2004 [2000], p. 131 et suivantes.
9. « Retrouver sa langue : en finir avec "la Province" », *Le Devoir*, 6 février 2006, p. A7.
10. Isaiah Berlin, *The Hedgehog and the Fox*, Chicago, Ivan R. Dee, 1978 [1953].

Table des matières

MISE EN PAGES ET TYPOGRAPHIE :
LES ÉDITIONS DU BORÉAL

ACHEVÉ D'IMPRIMER EN OCTOBRE 2006
SUR LES PRESSES DE L'IMPRIMERIE GAUVIN
À GATINEAU (QUÉBEC).